W9-CCD-264

# 女人明白要趁早之米字路口问答

王　潇◎著

北京联合出版公司
Beijing United Publishing Co.,Ltd.

**图书在版编目（CIP）数据**

女人明白要趁早之米字路口问答 / 王潇著 .—北京：北京联合出版公司，2014.12

ISBN 978-7-5502-3818-3

Ⅰ. ①女… Ⅱ. ①王… Ⅲ. ①女性－人生哲学－通俗读物 Ⅳ. ① B821-49

中国版本图书馆 CIP 数据核字（2014）第 246527 号

女人明白要趁早之米字路口问答

作　　者：王　潇

选题策划：北京时代光华图书有限公司

责任编辑：刘京华　王　巍

特约编辑：李艳玲

封面设计：水玉银文化

版式设计：曾　放

---

北京联合出版公司出版

（北京市西城区德外大街 83 号楼 9 层　100088）

北京晨旭印刷厂印刷　　新华书店经销

字数 202 千字　　787 毫米 ×1092 毫米　　1/16　　15 印张

2014 年 12 月第 1 版　　2014 年 12 月第 1 次印刷

ISBN 978-7-5502-3818-3

定价：39.00 元

---

# 目　录

*Part 2*

## 熬过所有的草木都发芽——关于奋斗

*Part 3*

## 为何不做少数派——关于抉择

*Part 4*

## 隽永的减法——关于活法

# 前言
# 问路的人

有一次，一位朋友把我介绍给别人时说："这就是那个写早起读物的励志大姐。"

确实，早起读物和睡前读物应该有极大不同。睡前读物也许需要伴随红酒、老歌和柔软的枕头，为一天中那些倦怠低落提供熨烫按摩。早起读物却是在闹铃后、咖啡时，伴着清新的衬衫香味来读的。短暂而有力的阅读后，人们推开门，走进茫茫人海和晨光中，开始一天的生活。

就这本书的写作时间来说，它的确是一本名副其实的早起读物，因为其中的每篇文章，都是我在清晨完成的。为了执行 # 潇洒姐每日问答 # 计划，我开始在每天早晨醒来后，从收到的问题中挑选一个进行回答，并把回答发布在王潇 _ 潇洒姐公众平台上。

不过，每天早晨我写回答的时候内心并没有感觉到我在制作一杯醒神咖啡，却感觉到我是在晨光中，站在一个通往四面八方的路口。每天早上在路口，我都会遇到一个经过的年轻人来问路。在被 100 个人问过路后，我总结出了问路内容的类型。

第一类：前面有 A、B、C，好像都能去，我应该去哪儿？

第二类：我想去 A，我爸妈 / 男朋友 / 老公不同意，怎么办？

第三类：我想去 A，但是我水平差、速度慢，到不了怎么办？

第四类：我想去 A，但是去 A 的路好难，我没那么想去 B，但是到达 B 好像很容易，怎么办？

第五类：我想去 A，但是我根本不认识从这个路口到 A 的路，怎么办？

第六类：我想去 A，但他们说我是女的，能去的好像都是男的，怎么办？

第七类：我刚发现自己其实是想去 A，但是我已经在 B 上走很久了，怎么办？

第八类：你们都说一定要去 A 或者 B 或者 C，我哪也不想去，都太累，只想待在原地怎么办？

第九类：我想去 A，但我不想自己去，而想找个人带我去，怎么办？

第十类：我知道我想去 A，我出发了，也坚持了，可是太难了，我现在绝望了，停下来了，怎么办？

100 天来，我就站在那个路口，一个一个地回答了年轻人的问题。我所有的回答都不代表权威，也无法证明一定正确，但都能保证态度坦诚——如果前面的路有一部分我去过，我就描述得清楚些；如果遇到过危险，我就提醒那有危险；对于没去过的方向，我分析之后，也给出了自己的建议。

此刻，当重新审视这 100 个问题与回答时，我发现，几乎所有问题我在自己的成长中都曾提出过。在一路走来的每一个路口，我曾不停地向亲友、书本、互联网发问，当时有些得到过答案，有些没有，有些答案被证明是错的。但我觉得，在路口，有个人可以问总是好的。

我就是那个在路口站了 100 个早晨的大姐，而大姐本人也正在去往她心目中的 A 的路上。大姐指了指路之后，也要继续问路前行。祝愿所有曾徘徊在路口的人们，都能到达各自最向往的 A 点，不虚此行。

*Part 1*

# 当热血涌上心头

## ——关于梦想

## 01
## 找 到 一 个 好 梦 想

**安：**潇洒姐您好，大家总是在谈梦想，可是在渐行渐远的路途中，我已经忘记自己最初的梦想是什么了。我也会询问身边的人，她们的梦想是什么，大家也回答“不知道，没有”。我觉得这样的人生很迷茫错乱。怎样才能找寻到自己的梦想呢？没有梦想是不是很失败的人生？

**潇洒姐：**有梦想的人，大多是被电影人物和当下的榜样人物启迪的，他们的梦想就是成为他 / 她那样的人，实现他 / 她那样的事。

比如说我吧，我从 20 岁到现在，榜样一直是梁凤仪，因为她在写作、做人和商业上都超有成绩（香港著名财经小说作家、企业家，创办的公司在香港上市）。我本身喜欢看故事，喜欢有坚韧特质的人，又喜欢解决问题，我在我的榜样身上同时找到了这几点。还有，我的榜样与我在同时代，也在华人社会，这让我觉得有抵达的希望。

虽然说每个人不可能成长为另一个别人，最终只会成长为自己，但预先用一个人物设定方向是个好方法。再远的梦想，也与梦想者自身的天性与天赋有关，沿着自己的长板向前看，在辉煌的顶点找到一个榜样，更为可行。设定梦想，从设定具体的榜样开始，然后学习榜样的思维和做事方法，再逐级逐级地实现，最终完成自身的进化。

祝你找到一个好梦想。

## 02
## 你只需负责给出你的部分

**维小尼：**潇洒姐，我想问一下怎么去做十年计划？做这样的计划我完全没有头绪，您当初是怎么做出十年计划的呢？

**潇洒姐：**之前我回答过一个关于如何找到梦想的问题（问答收录在趁早网www.chenzao.com—趁早家族—交流专区），如何做十年计划这个问题，其实是梦想问题的向下拆解。

按照之前问答的思路，假设你已经找到了一个好梦想，也有了一个人生榜样，那么现在我们来一步一步地设立计划。

第一步，大胆地写下你的毕生终极梦想——Things to do before I die（去世之前想做的事情）。

无论多老、经历什么，或有多灰心，这一部分都不要删掉。它负责照耀你的余生。

第二步，量化你的榜样。

假设你的榜样 40 岁，你 25 岁，你需要历数一下他的成绩，那些你到了 40 岁甚至 40 岁之前也希望自己达成的东西。现在，你有了十五年的时间（不要以为很长）。

第三步，历数榜样在40岁前所做的努力和积累，计算出你和榜样的距离。在这十五年中，你认为你需要达到的条件，无论是内在还是外在的，将它们一一写下来。

第四步，把条件按进度标注在时间轴上。时间轴的长度，即你和榜样的年龄之差。

也许第一个五年，为了追赶你的榜样，你需要读100本书，完成一个专业学位。第二个五年，你需要创业，还需要寻找到理想合伙人和投资人。第三个五年，你需要成为行业顶尖，实现跨界经营和财务自由。

第五步，把十五年中的前十年所需达到的条件总结出来，继续向每一年中拆解。拆解完你也许会发现，就是现在，你就要开始读需要的书籍、开始报名读第一个专业学位了。

简单来说，十年计划就是以一个榜样为参照物进行的逐年倒推。

你会问，那些榜样都得到了许多神奇的机会，机会怎么复制？

十年计划的重点是，你只需负责给出你的部分——努力与积累，机会由你的命运负责给出。而命运是想象力被执行后所到达的限制。想象力和执行，也因你而起。当然，人生不可能复制，但一些必要条件是相似的，你会在复制这些必要条件的过程中，成为你自己。

你还会问，我的榜样变了怎么办？中途兴趣变了怎么办？

你的榜样和兴趣很有可能会变化，确认变化之后，你需要重新梳理，再更新计划。但只要计划已启动践行，你积累过的和努力过的，永在你身，会成为你的阶梯。

**很多人不但实现了十年前的梦想，还实现了毕生的终极梦想。真的，只有死的时候，才有资格说你的梦想是否破灭了。**

## 03
## 人比人得活

**Cen：**潇洒姐，您有没有过羡慕别人的时候，羡慕别人天生丽质，出生于富裕的家庭，备受宠爱。回眸自己，一切平庸，辛苦活着。也许人家随便一个包都可以够普通人生活几个月，但对人家来说，却是屈指挥手般容易。怎样才能使自己更淡定、更从容面对这些？

**潇洒姐：**就在前不久，我参加了亚杰商会第九期"摇篮计划"学员开学典礼，地点在上海嘉定，我和另外一个女学员被分配在一个酒店房间。

"摇篮计划"是一个培养"未来科技商业领袖"的项目，因此第九期的学员都有自己的创业公司。我和同屋的女学员交谈，彼此介绍自己的情况和创业公司的成长。

她说，她和我同龄，目前创业的 ××公司是第二次创业。第一次创业的公司在 2004 年就以千万美元卖给了美国一个巨头科技公司，后来一直不知道钱怎么花，荒废了一些年。现在觉得还是要创业，只有创业才是激动人心的生活。

2004 年！我惊呆了。相比之下，我感觉我 2004 年还在吃屎呢。

然后她说，既然第一次创业的起点已经是被收购退出了，那么第二次创业的目标至少在意义上要影响世界，在财务上要自主 IPO，纳斯达克上市。

你说，从 2004 年到今天，我经历了这些那些，交了很多学费，创业跌宕起伏，而对于我面前同龄同样创业的女性来说，在创业成功层面，我算不算一切平庸，辛苦活着？我应该怎样才能更淡定、更从容呢？

在横向比较面前，我只有接受差距；但在纵向比较面前，在过去的自己与现在自己的比较上，我其实已经做了很多事，还可以做很多事。

于是我问了她更多的问题，关于她那时为什么可以有那样的创业成绩。她说，她有兴趣，她有专业水准，她有创业土壤，她动手早。当然她还有一条一定没说，就是努力。

我没有其他的立足点，只有现在。现在有现在的兴趣、专业水准、创业土壤、动手时机，现在，我就该努力。

## 04
## 走 出 舒 服 区

**白小白**：在走出舒服区时，可能放弃的是很多人得不到的光鲜工作，追求梦想，但由于目前眼界所限，又不知道前面的路在哪里。此时该如何理性分析，在两个都正确的选择里既能听从内心，又可以追逐梦想?

**潇洒姐**：在收到的问题里，“现状尚可而又期待改变”的情况很多，咱们来分析一下这里面有几种可能。最可能的是，**当你起心动念想“走出”舒服区时，说明这个区已经不是真正的舒服区了。**

第一种：这其实是一个在别人看起来舒服和光鲜的区，而你自己对此的满意值其实并不高。

分析：这是最值得去做出改变的一种。就像找了个漂亮的对象但对象性格很差，满足了虚荣心但自己受罪一样，为了不一直受罪，确实需要换对象。

第二种：这个区里有七成元素舒服，三成元素不舒服，总的来说是舒服的，但你想拥有十成的舒服。

分析：持续圆满的十成不现实，不是事物的常态。如果是你喜欢的行业，又差不多可以人尽其才，那说明是你贪心的成分比较大。

第三种：确实不舒服，但是你的能力目前只能处在这个阶段。
分析：啥也别说了，抱怨没用，只能努力而后改变现状，让进步后的你配得上更舒服的。

第四种：算是舒服，但你想尝试拥有更高平台上的舒服。
分析：这个应该算最高级别。我觉得提问的白小白属于这个层次。答案一定与天性相关，战士都喜欢一个个地征服，梦想够大，就会得到召唤。

第五种：本来还挺舒服，但你一看到谁谁过得比你好，就开始觉得不舒服了。
分析：……

# 05 神秘的创业

**明媚：**潇洒姐，我现在只有 10 万元积蓄，创业现实吗？

**潇洒姐：**创业成功的资源条件和可能性，从来都是神秘而复杂的分析对象，没有绝对行，也没有绝对不行。没有人在自己创业成功之前能知道自己一定可以成功。

这里所说的成功，首先是指生存下来。

想要创业，准备启动资金是其中一个重要方面，但更重要的方面是，你的客户从哪里来。

如果你对客户资源非常有信心，一开张就必定不停赚钱，那么启动资金不太重要。如果客户数量只在你想象中，甚至你完全不知道他们在哪儿，无论 10 万元还是 100 万元的启动资金都一样会烧光，只是早晚问题。

**还有就是你的创业 Idea（想法，主意），检验一个 Idea 的好坏只有一个标准：**

**赚钱，或者不赚钱。**

当然，创业要兼顾的方面非常多，还有技术、专业性、团队、服务、产品、办公地点、工商地税等等。在决定创业之前，一定是了解得越多胜算越大，可以免去很多不必要的“学费”。更便捷的学习方法是，进入一个创业型公司去学习和观察，去一点一点地积累条件。

再大的事业也是从小做起的，也有它的开头。小的事情容易把握，如果你能在小事情上理出清晰的脉络，挖出其中闪光的地方，把它做得有声有色，那你根本不用担心能否把它做大，做大只是放大过程中的时间问题，是乘法里的系数问题。

## 06
## 当热血涌上心头

**罗拿拿：**潇洒姐，您好！请问如何看待好朋友一起合作创业？担心原本的好朋友因为合作产生矛盾，最后失去那份友谊！

**潇洒姐：**有一天，两个朋友坐在一起聊天，谈种种别人的可能性和自己的梦想，然后其中一个人突然站起来说："要不咱们就一起做吧！"你的热血一下涌上心头，感到这是一个历史性的时刻，于是你也站起来说："好！"当两个朋友准备联手创业时候，好像都是这样一个差不多的场景。

在说出"好"以后和真正动手之前，我们要问自己和对方几个问题：
你们为什么需要合伙人才能创业？是因为资金，还是资源，还是专业？
资金、资源和专业，除了引入合伙人，是否还有其他替代解决方式？
你们各自在技能与资源上的长短板是否互补？
你们思考问题的方法和眼界是否互补？
你们谁比较权威，谁更信服谁，出现争议后如何达成共识，解决问题的时候，谁来做最终决策？
你们是否讨论过如何面对和使用钱？

你们是否都是可以承担责任的人？

你们是否可以在开始之前坐下来拟好关于资金、分配、分红的协议，白纸黑字，共同认可并按协议执行？

在未来，他可以被替代吗？你可以被替代吗？

你们的创业动机分别是什么，是否方向一致？

最理性的考虑方法是，如果他不是你的朋友，而是你需要花钱请来的高管，他在人品和专业的考量上能否过关。

你问这里面为什么都没提“交情”两个字，在创业时，有交情能给你雪中送炭当然好，但你无法持续地依赖它，真正的创业成功从来不是因为交情，而是因为核心竞争力和市场规律。**交情多数时候是用来锦上添花的。**

既然选择与朋友一起创业，就要做好无论创业输赢最终都有可能失去朋友的准备，因为人性很复杂，无论你的还是他的。都说人性不可考验，如果非要考验，那这就是朋友共同创业的最大风险之一。

下一次，不要那么快就说出“好”这个字，**热血要浇灌在最理性的种子上，才能开花结果。**

07

# 令人心动的陌生人

**Kelly：**潇洒姐，在28岁的阶段选择一个全新的行业奋斗、创业，不因其他，只因有您曾经有过的那种“大幕拉开，继而认定”的感觉，您觉得实际吗？如可行，面对这个陌生的行业我应该先做什么？

**潇洒姐：**“感觉”是很重要的一个诱因，但对陌生行业来说，还需要有其他准备条件，才会更为实际。

我自己凭“感觉”做过不少事，后来看，那些真正做成了的事，要么是一开始就具备了必要条件，要么是在启动后用时间和试错代价把条件一个个落实。

条件还是那些老生常谈的创业成功元素：客户、产品、技术、资源。最核心的就是客户和产品。如果说开始在一个陌生行业里创业需要做什么，当然是去落实和研究产品，然后拓展客户。“感觉”不会让你生存下来，只有销售产品给客户带回的现金流才会。换言之，对创业来说，什么最实际？答案是争取率先实现健康的现金流最实际。

再从客户和产品来倒推，陌生行业里的市场在哪里，消费者是谁、有多少，怎么找到市场和消费者，可能就是“陌生”给你带来的最大壁垒。

那么，如何最快地把陌生行业变成熟悉行业呢？以下五条是我很认同的：

1. 搞清楚这个行业中最牛的人，然后关注他、分析他、学习他。
2. 专业领域都是有规律可循的，可通过行业报告、书、杂志、论坛等方式学习。
3. 分析自己的弱项在哪里，然后先模仿、拆解别人的东西，再一点点突破。
4. 逐渐形成自己的风格并高标准要求自己。
5. 不断学习前沿的新方法，不守旧。

再说回“感觉”。“感觉”这东西的不靠谱在于，通常那良好的“感觉”会来自该行业表皮的闪光点及与你的天性最相通的地方，就像恋爱一样，蜜月期过后，你会经历一个“原来也是这样”“不过如此”的真相期。再之后到来的才是真爱，既爱他的光彩，也爱他的煎熬。希望这个陌生行业对你来说就像一个让人心动的陌生人一样，当你靠近他，他比你幻想的还要好。

比感觉和条件更重要的是勇气和克服困难的决心，有时候，最开始那种无知无畏的精神和打破行业定势的跨界打法反而能让人走更远。也就是说，第一步是你与陌生人搭讪的决心，搭讪了才有后面的可能，既然现在你已经准备搭讪，那么加油吧！

## 08
## 你 和 你 的 团 队

**飞飞：**潇洒姐，您是怎么做到有效管理团队的？

**潇洒姐：**我在管理团队上有过很多教训。现在综合这些教训，我认为以下几点非常重要。

第一，准入条件。
既然在最初的时候选择谁进团队是可控的，那就应该把风险降到最低。人品一定是首位，其次才是能力和态度。人品包括诚信、责任感、契约精神。事实证明，你在选人时的将就和不确定，后面都会以各种方式暴露出来，让你承担代价。找对象同理。

第二，设立标准。
什么叫快，什么叫好，什么叫美观，这些标准在团队中必须做到统一认知，我的团队用不停更新、撰写工作手册来普及标准。更重要的是，作为企业的领导者，你的标准要稳定，不要随着情绪和紧急程度而发生变化，这样大家做一件事的质量和完成程度从始至终才能一脉相承。标准是一个团队出品质量和节奏的保证。找家政阿姨打扫卫生同理。

第三，合理分工。

凡事预则立。一个项目开始之前的流程分工非常重要。在周期、预算、标准确认的前提下，谁负责什么，谁与谁沟通，谁向谁汇报，都应充分计划好。沟通不充分和内耗是非常致命的，都与事先分工不全面、不到位有直接关系。家庭成员分工同理。

第四，目标一致。

无论团队成员的具体工作内容如何，在日常工作和开会时，都应该让大家时刻明确我们为何而战。这也是我们常说的使命感。使命感并不是个假大空的东西，而是为了让大家在忙眼下工作的时候，心中有目标和未来，知道为何而做。再小的事，也有它的意义和在大局中的位置，也可以指向一个恢宏的目标。人生中的每一分钟同理。

第五，奖励机制。

口头表扬和激励永远不如一起享受胜利果实。不改变团队生活，给团队谈理想都是扯；不发现金，口头表扬都虚伪。描绘未来当然需要，但是现在就是过去的未来，你过去给大家描述过的，现在就该开始兑现。谈恋爱承诺未来同理。

## 09
## 最 初 的 折 磨

**Berlin：**潇洒姐，哪个因素在您的创业初期最折磨您？

**潇洒姐：**创业初期，折磨我的因素可不止一个。我要面对的问题此起彼伏，核心问题是：怎么生存下去→生存的钱从哪里来→付钱的客户是谁→那些客户在哪里→在那里的客户如何知道我的产品→他们如何才会觉得我的产品和服务好→我怎样让我的产品和服务好……

以上是连锁问题，既需要逐一击破又需要统一考量，但都不算是最折磨我的问题。最折磨我的问题是：我的性格、思考能力和资源真的适合创业吗？我有能力支撑起产品、服务和未来吗？我创业的这一行会有发展吗？可见，最漫长的折磨还是来自自我怀疑，相比之下，别的那些都叫作解决问题，谈不上折磨。

这种折磨可能会持续一段时间，直到你的创业被事实论证，专业点儿来说就是：获得了被证实的稳定成长的现金流。这个时候，一切就进入了良性循环，问题逐一迎刃而解，折磨自然痊愈。

# 10
# 游 弋 在 浪 潮

**Lexie_W：**潇洒姐，从某种角度来讲，您也是个淘宝店主，请问如何从琐碎的事务中抽身出来，在另一个高度上宏观把握店的发展方向？

**潇洒姐：**在 2013 年 6 月正式注册“趁早”这个商标之前，我一直都不愿意承认我是一个“淘宝店主”。虽然我和我的团队确实有个网店，但觉得在一个网上小店卖东西，多少有些 Low（低端）。

我一直跟别人解释，我是一个公关公司的运营者，只是因为做了给客户朋友的礼物——效率手册，在电商平台上出售剩余的手册而已；又因为手册实在受欢迎，就继续做下去了而已。

直到 2013 年 5 月在上海，我遇到了读者“面包”，听了她的故事，震撼于“趁早精神”竟然能给人这样的启发与鼓励，我和团队才第一次正视我们正在做和未来要做的事，于是接受了使命。

确切地说，“趁早”是一个带有女性主义价值主张的社群品牌，分为互联网产品和零售产品，其中零售产品以线上（目前是淘宝和亚马逊中国）和线下（各主要城市书店专柜）为销售渠道。“趁早”为对自己有期待的女性提供价值观，也提供方法论工具。“趁早”最大的财富，是分布在全国甚至全球的60多个自发组织的趁早读书会。大家在其中找到彼此，认同着相似的思考方法和价值观。

因此，作为一个品牌创始人，我要把握的不仅仅是某一个网店的方向，而是一个品牌的方向，更是品牌背后价值观的方向。

如果你也是一个专注于自有品牌电商平台的创业者，那么以下“趁早”接下来要做的事，可以供你参考：

1. 开发和2015年效率手册捆绑的APP应用。在移动互联时代让APP应用为手册增加立体及深度的功能。时刻谨记,“趁早”要为用户提供方法论工具，无论线上线下。工具免费。
2. 完全改版现有论坛趁早网（www.chenzao.com），使其成为与趁早APP打通的PC端和移动端平台，在平台上实现个人项目管理的功能等。
3. 丰富实体产品线，工具精细化、功能分众化，为每一个目标群体解决具体问题。
4. 推进“趁早学院”全国巡回讲座。线下活动与线上分享相结合。讲座免费。
5. 启动《女人明白要趁早》的剧本改编工作，启动网络剧计划，用娱乐手段更好、更大众地传播“趁早”理念与精神。
6. 支持全国趁早读书会的开展、传播和交流。让更多的人找到达成目标和实现自我意愿的好方法，用上好工具。

可见，我们对于“趁早”发展方向的考虑，与在哪个平台开店其实没有直接关系，平台只是可利用的渠道。

我理解的“在高度上宏观把握发展方向”就是游戏和游弋于指向未来的浪潮。无论是自身，还是一个网店、一个品牌，都可以淋漓地活在这个时代的洪流里。

## 11
# 趁早与着急

**张小妹：**您觉得“趁早”和“着急”的区别是什么？

**潇洒姐：**我在《女人明白要趁早之三观易碎》中这么写过：什么算趁早？还有机会、精力、时间的时候敢于洗牌、敢于重来，而不是明知握着一手烂牌，还苦哈哈地打。

那一篇文章叫作《Never too late 是骗人的》，Never too late 通常被鸡汤界翻译成“什么时候开始都不晚”，典型安慰拖延症、“玻璃心”的金句，要是真信了，那就一切真的都太晚了。

其实这句话中，最难做到的不是“趁早”，而是“明知”，能够确切地知道条件与资源对行动力的支撑，知道机缘和节奏的重要性。如果火候不到非要大干快上操之过急，那确实就算“着急”了。

关于“着急”，我有两个观点：

1.“着急”通常还是用来判断具体的事的。谈恋爱，对方刚多瞅你两眼，你就表白了；创业，行业市场还有十年才来，你就起步了。这一类虽然大方向对，但因为时机太早而造成失败的，确实算“着急”了；但在“趁早”的理论系统里，在趁早行动之前，是趁早积累、趁早看清，要符合基本规律。关于这个理论系统，我会写在之后的新书《时间看得见》里。没有好用的方法论，价值观和口号都是空气。

2.回到刚才说的机缘和节奏，能有人有机会真正看清吗？我觉得没有。真有的话就成了预测，就是神算了。所以，我们始终在下一盘看不清棋盘的棋，甚至不知道对弈者是谁。那为什么有人能经常赢呢？还是水平高。想赢的概率大，还是得趁早练水平。从这个意义上来说，**“早”永远比“晚”好。“早”可以等着，而“晚”就只有追。“趁早”是人生的主动权，主动权可以让我们拥有自由。**

## 12
## 烟 花 绽 放 几 次

**WENWEN：**请问潇洒姐怎么看待“笑到最后”？

**Zofie：**潇洒姐，您有没有过“到了那个时候我就会开心幸福了”这样的心理状况？我总是在期待，总是把那种幸福感放到未来的某一天。如何享受状态可能很不好的当下呢？

**潇洒姐：**这两个问题一起来讨论吧。

在30岁之前，我很难有能力感受到确定的幸福，也不太清楚确定的幸福感是什么感觉。对那时候的我来说，“幸福”两个字虚无缥缈。无论是物质和精神还是存在感，我都能明显地察觉到自己的缺失和差距，这种明显的察觉太难带来“幸福”了。

再往前追溯，我能记得的极端快乐的时刻也不多，初中、高中、大学、研究生四次拿到录取通知书的时刻，发现我暗恋的男生也喜欢我的时刻，我的妈妈出差很久终于回家的时刻，差不多就是这些了。30年的生命里，幸福只有五六次，每次一天或几天，真的是太稀少了。

也可能是我对“幸福”这种体验的要求太高了吧，普通的高兴、愉快、欢乐我觉得都不配。幸福是一种极端的心理体验，是电影里的英雄终于披荆斩棘到达美丽山谷的那天，是把胜利的战旗插上山峰的那刻。这样看，幸福从来不会太多，就是以点状的分布在人生里，对我而言是专注投入和漫长期待后的终于降临。为此，我和你一样，也总是在期待，期待那种终生只绽放几次的烟花。

还有，不得不说的是，就是“到了那个时候”，你我也只会开心幸福一阵子而已，然后又要投入到对下一次幸福的追寻里去了。这件事情没有终点，不存在一劳永逸。

那么，我们当下的快乐建立在哪里呢？微观的小快乐很多，来自大家都有的生活小事；而宏观的快乐，应该是打量自己站的这个山头，跟来路比起来还是高了一些了，虽然那些伟大的山头依然高高在上，但不耽误我们俯瞰来路时候的心满意足。30 岁以后我觉得，能感觉到心满意足，就是幸福。

年龄越大，把幸福等同于平安喜乐的时候越多，“笑到最后”我猜测就是眼见大局已定，跌宕起伏都已成为往事，坐下来，心满意足地笑了，徐徐吐出一口真气的瞬间。

## 13
## 梦 想 支 撑 物

**英楠：**赚百万千万是梦想吗？梦想和目标有特定的界限吗？怎么看待没有梦想的人，包括没有目标的人？

**潇洒姐：**称得上梦想的事情，大概要有以下的元素：让你感觉有尊严的生活，让你有此生无憾的体验，最好还能创造超乎满足个人需求的价值。梦想都直接关乎自我实现，自我实现是体验和精神上的东西。钱很多时候可以帮助我们做到以上两点，所以**钱通常帮助我们构建了梦想，是缔造梦想的重要工具，但一定不是梦想本身。**

目标是梦想向下拆分后的局部和阶段性设定，这是目标与梦想最大的区别。

按照金钱量级去设定目标，是一种很有效的方法，但如果把目标和梦想混淆起来，一容易后劲不足，二容易发生“目标”或“梦想”实现后依然无法拥有自我实现的幸福感。能够最快拥有百万千万资产的人，往往都是因为他们做了自己擅长的事，擅长的事又往往都指向了梦想。所以无论是实现目标还是梦想，我都有三个建议：做擅长的事，尝试有点儿擅长的事，培育可能擅长的事。

人一定都有近期目标，哪怕是最简单最直接的，哪怕吃一顿好饭，哪怕钱多事少离家近，都可以算。既然都可以算，就都有实现的章法。目标不必非得伟大恢宏，但梦想多少要有些理想主义色彩，才配用得上“梦想”俩字。而梦想能让人热血滚烫，一直走下去。

## 14
## 不 是 身 外 物

**Amooo：**我看到您的照片里穿的戴的好像常是名牌的东西，您恋物吗？您会努力为买一个东西去攒钱吗？您会觉得人其实很多时候为东西所累吗？

**潇洒姐：**小时候买了新衣服，总是回来先试穿一遍，在镜子前走来走去，临睡前叠好放在床边，在想象第二天穿上的过程里睡着。长大后衣服变成了别的，那种一件新衣就可以有的快乐越来越难得到，但是追求快乐的过程没变过。

喜欢一件东西然后终于买下它的过程，就是在重复“想要—行动—得到”这件事。得到的范畴对于一个人来说是很广泛的，东西是其中的一部分，印证了我们从无到有去拥有的能力。有时候一个精良的好东西让人着迷，有可能是那种控制感和拥有瞬间的感觉让人着迷，也有可能是因为审美、文化和情趣让我们在东西上看到了自己，于是买来用于认同、延长和增强自己。

我应该算是有节制的恋物，有意识地希望自己重复享受到“想要—行动—得到”的过程。然而我也知道，人与东西的关系，应该是先做加法，再做减法，慢慢剔除繁杂无用的部分。我只是知道，但我的境界不到，还依然在兴致盎然地做加法的时期。

我有个欲望清单，上面是喜欢的东西，用来激励我增加自己的能力，等待下一个拥有瞬间。所以可以说，我在为能够买一堆东西去攒钱。深究起来，人确实是累的，但并不是为东西所累，而是为愿望所累，为越来越美好的未来所累，这个未来的图景里，很多部分是由东西组成的。

清单上的东西虽然挺多，但好像努一努力有朝一日都能实现，于是就一直努力，于是逐个实现。**现在我拥有的这一切都不是物，每换一件衫、一块表、一部车，都是心血、脑浆和年华的凝固。它们不是身外物，它们都是我。**

## 15
## 心 动 歌 单

**Huang：**潇洒姐，您会被音乐触动，或者受到鼓励吗？您可以分享一下您爱听的歌，尤其听了也会受到鼓励的歌吗？

**潇洒姐：**我永远记得2003年的冬天，我决意考研，于是去上了一堂考研辅导课。课堂上的知识晦涩，同学都比我年轻，我意识到这是一条寂寞又困难的路。下课以后，回到车上，我心情压抑地坐了一会儿，打开了电台。那是我第一次听到Christina Milian（克里斯蒂娜·米兰）的《Believer》，听到热泪盈眶。我记得我透过车窗看着北京灰色的天空和光秃的树干，斗志和梦想胀满胸膛的感觉。那些触动我们的歌曲里，都浇筑着灵魂。

时间倒推，我还记得我在大学四年级，一次期末考试前，我在宿舍温习功课，准备政治考试，过程乏味可想而知。临考前，终于快到崩溃边缘，我拿出耳机听王菲的《开到荼蘼》，听到一半突然感觉到通透看开和无所谓，举手把政治书一下甩到上铺——我床上，手插裤袋去考试了。比起能受到鼓励的歌曲，很多时候我更喜欢那些情怀宏观的歌，那些以达观态度看世界、看人生的歌。

以下都是我喜欢的歌，可以滚动播放无数遍的那种。最后五首是爱情歌曲。

《陀飞轮》——陈奕迅

《枯荣》——林忆莲

《开到荼蘼》——王菲

《单行道》——王菲

《算命》——张学友

《Believer》——Christina Milian

《徒手》——张杰

《出发》——纵贯线

《Empire State of Mind》——Jay Z & Alicia Keys

《Fighter》——Christina Aguilera

《达尔文》——蔡健雅

《吻得太逼真》——张敬轩

《红玫瑰》——陈奕迅

《海上花》——蔡琴

《野风》——林忆莲

《Hero》——Enrique Lglesius

## 16
## 进化后的刚需

**灰零：**今天和朋友聊创业项目，说产品一定要锁准市场的刚需。我就突然想到了您创立的“趁早”品牌，那么“趁早”的产品以及它代表的理性和自律，是刚需吗？

**潇洒姐：**人性的需求，我觉得有两个大层级：第一层是底部的，以饮食男女的吃穿住行为主，围绕日常生活展开；第二层是往高处走的，包括克己、自律、文明和高效等一系列有助于建构精神家园的元素。第一层需求从本身出发派生出来，更接近祖先和动物的；第二层需求则是在第一层上进化的结果，当一个人对第二层的东西需求越多，他就越接近“高级”的人。这有点儿像旧时文章里经常提到的“低级趣味”和“高级趣味”之分——人群因他们乐趣的不同而被定义和区分。“趁早”的使命是给那些追求克己、自律、文明和高效的人们提供产品与服务。

按照这个思路，当一个群体或一个社会越趋向于文明和进步，第二层需求面积就越大，那么“趁早”的理念和产品就越接近刚需。

以上是大而化之且不明觉厉（虽然不明白在说什么，但好像很厉害的样子）的聊法，哈哈。

要是说大白话呢，我就这么说：每个人都拥有时间吧，都有天性吧，都有愿望吧，都希望找到方法实现愿望吧，只要时间在、天性在、愿望在，管理时间、审视天性与实现愿望的诉求和探讨就不会停止。时间和饮食男女一样，都是和每一个人息息相关、紧紧相连的东西，掌握它、用好它，只要人们都认同用积累是可以达成结果的，“趁早”的理念及其产品线就是刚需。

刚需和刚需相比也有区别与逼格，要真比较起来，在一堆刚需里，“更高、更快、更强”就是比“吃得刚饱，穿得更美”更高级的刚需呢。

# 17 Magic Pill

**艾宁宁：**看您的微博，说到美国马拉松运动员 Joan Benoit（琼·本诺伊特）说每天跑 10 公里是她的 Magic Pill。您的 Magic Pill 是什么？

**潇洒姐：**台北马拉松赛前，Joan Benoit 接受媒体专访时说了一些体验和观点，Magic Pill 是其中瞬间打动我的一个词。她说，每个人都有自己的 Magic Pill，她的就是每天跑 10 公里，这个 Magic Pill 能让她感觉好。这个感觉好包括有力量感、有希望，觉得自己还不错、世界还不错。10 公里跑完，就像服了一粒药。听到这个说法的第一瞬间我就觉得这个比喻到位无比，点头如捣蒜，我想我懂那感觉。

《英汉词典》把 Magic Pill 翻译成“仙丹”，但在我的词典里，它叫作“猛药”。我把《女人明白要趁早之三观易碎》的广告语改成“是猛药，不是鸡汤”，可见对它的迫切程度。

虽然是到台北参加半程马拉松，但我明确知道我的 Magic Pill 不是跑步，甚至不是任何一种具体运动，但好像也不是哪一种能让我恒久坚持的日常活动。看书好像有时候是，锻炼偶尔是，写作偶尔是，聊天偶尔是，签个合同也可能是。这些都有过“有力量感、有希望，觉得自己还不错、世界还不错”的治愈和激励作用。可是我至今没有发现一种恒久认定的东西，一低落犹豫没信心就可以拿来服下的东西，我其实一直都在寻找它。

这么看，我的 Magic Pill 有点儿分散，经常分时间分情况地附着在各种事物上，具体问题具体分析地发生作用。比如我今天感觉比较 Low（情绪低落），看书也不管用，完全不想写东西，但运动就还不错；明天我又感觉比较 Low，运动又不管用了，但学习后就觉得好很多。这里面能找到的共同点就是：保证一段时间专注在有利于自己变得更好的事上，无论具体是什么事。嗯，我的 Magic Pill 就是——# 每天专注三小时 #。

如果你能找到像 Joan Benoit 那样恒久唯一的猛药，就比我幸运。因为那样更符合 10000 小时原理对人的决定作用，你更容易成长为一个你喜爱领域里的专家，同时获得知识和尊严。如果你和我一样不确定，至少可以试试把 # 每天专注三小时 # 当作猛药服下。你想想，一天三小时，不吃零食，不看手机，不是费体力就是费脑子所以睡得香，想学的也学了，梦想也复习了一遍，必须感觉好多了啊！

18

# 跑在路上

**Supreme Lin：**很多人对跑步这事的观点听着挺虚的。潇洒姐，您一向说话比较坦诚，您参加两次马拉松了，除了锻炼身体之外，到底从跑步里得到了什么？

**潇洒姐：**就拿上海和台北这两次女子半程马拉松来说吧，时隔半年，地点不同，体验差别也很大，这里面确实有些心得，终身受益也说不定。

第一次是参加上海国际马拉松女子半程赛，我又兴奋又怕怕的，一切都是未知，所以准备得郑重又卖力，把科学表格打出来贴在墙上，和马拉松专家做朋友，赛前恪守睡眠和饮食计划，该做足的都去做足，基本上就是要去完成人生遗愿清单的意思。

开赛以后自己一直在做心理建设，还配合学来的战略战术做调整，始终把敌人想得很强大，但是由于特别痛苦的难熬时段并没有出现，完赛后我出现膨胀感达三天之久，觉得这也行那很多事我都行。

台北国际马拉松女子半程赛我也完赛了，没错，但我要说说全程都发生了什么。

有了上海半程马拉松的体验，我觉得自己掌握了过程里的感觉，依据经验展开想象，恐惧和好奇的部分消失了。这导致没有一个比上次坚实的目标鼓舞我坚持锻炼，所以练得不好。体育锻炼，练得充分与否差别很大，台北这趟半程马拉松下来我累得半死。不好好练，累得半死是自找的。

上海的赛事，出发处几万各色参加者，无论从气势上还是视觉上都非常壮观，站在队伍里基本就等于泡在肾上腺素里，造成热血上涌；台北赛事是和七八千个身着同样背心的萌妹子一起参加，多数白又软。环境很重要，在一条汹涌的江河里随波逐流和在一条静静的河水里随之流淌是不同的。

台北赛事跑起来之后，确实是静静的，妹子们跑步声又轻，还有就是赛事规模小，台湾人民夹道加油者很少，这就与上海 21 公里几乎连绵不绝的围观者形成了鲜明对比。可见，是否受到鼓励比我想象的重要，跑一直是靠自己的腿，但是心念是和场外接通的。路上一寂寞，累的感觉就更真切了。

格外累也是由于台北天气热、湿度大，全身湿透数次，但极其幸运的是，比赛中一直是阴天或小雨，赛后才出现了酷暑直射的大太阳，烧灼后背那种的。路上甚至因为中暑抢救了几个人。我想，如果大太阳的酷暑早出现一小时，我就绝对没能力跑完全程了。这是运气，最不可知的部分。

上海赛事，我是一个人参加。这次赛事我和塔塔一起，她是第一次参加半程马拉松 。路上塔塔出现了突发状况，我们不得不几次减速或者停下。一个人和一个 Team 是不一样的。Team 里同伴的状况和速度，就是整个 Team

的状况和速度。Team 里除了守望相助也没别的招儿。这是跑起来才意识到的。

然后就是最刺激的一个体会了——上海赛事，我起跑后除了喝水就几乎没停过，这次由于各种原因我停下来或步行了若干回。我不回头还好，我一回头，就看见一大帮白又软、平均年龄小我 15 岁的妹子刷刷地扑面而来，又迅速离我而去只剩背影，一秒钟就把我甩在后面。我当时就觉得，这才是我参加这次马拉松最核心的隐喻。

那么多人之所以都迷跑步，也许是因为除了锻炼身体之外，跑步就是个最直白的隐喻。人们常说“出发、旅程、奔跑、在路上、人生没有终点之类”的比喻词汇，而跑步就是这一切本身。跑与不跑，这种方向、竞争、速度、寂寞和坚持都一样存在，对有质量的生命都一样重要。

就像现在我坐在电脑前，如果我不思考、不写作、不向前，分分钟就有至少几百万个白又软的萌妹子超过我。即使我思考、写作、向前，几百万个萌妹子们也许一样会超过我。这里面最大的隐喻是我知道我是跑着的，和所有的萌妹子一起跑着，做一件关于方向、竞争、速度、寂寞和坚持的事。我们要知道，在这条路上，跑是我们唯一能做的事了。

## 19
## 我的事业

**ZYX：**Sheryl Sandberg（谢丽尔·桑德伯格，Facebook 首席运营官）有自己的事业，她用自己的事业来做例证，鼓励女性 lean in（向前一步）。没有冒犯的意思，您把鼓励女性自律等的趁早精神的宣扬当成了自己的事业，那您的例证是什么呢？我觉得那一部分我没看不到。潇洒姐是在一边喊着趁早的口号，一边以此为事业吗？我真的是因为崇拜关注您这么久，有些好奇您趁早品牌的运作。一边励志一边以励志赢利，对否？除了励志，您像 Sheryl 一样的另外的事业是什么？我很好奇。还是励志是媒介，打造品牌赢利才是重点？我不想做讨厌鬼，还是觉得您超棒的，只是好奇励志能不能作为终极目标。

**潇洒姐：**在 2013 年 8 月之前，你以上的问题也正是我自己确定事业方向时最大的困扰。

我从 2006 年创业之初，业务核心都是做公关活动的策划和执行，一直到 2013 年 8 月。其中有的案例，比如说巴菲特、比尔·盖茨中国行，算是业界著名的案例，我们会把它写在公司介绍里最重要的位置。对于我来说，也算公关活动事业的里程碑。

在工作之余的几年中，我把成长的教训写成了文字，整理成书出版时，没有预料到书会成为励志类的常年畅销书。我其实一直反感“励志”，我从没喜欢过成功学、培训课和所谓培训大师。因为在我迷惘的时候，我不想听到没有根据和不负责任的“你一定能做到的”，我一直想听到的是“你目前 ×× 的条件够，×× 的积累不够，你接下来需要 ××××，第一步是 ×××”这样的中肯建议和解决方案。

后来，我们需要把公关团队给客户定做的效率手册的剩余数量处理掉，就开通了网店，没有预料到的是，效率手册成为一个连续三年都很畅销的产品。

再后来，从 2009 年第一本书出版到 2013 年 5 月，我已经收到了几千封来自读者的关于成长与改变主题的邮件。当我在上海的读者见面会上见到了“面包”，被她的故事震动后，才真正决定接受自己的使命。这个使命不是“鼓励”像我一样迷惘成长的年轻女性，而是给她们提供有效的方法论工具，给出切实可行的“怎么办”。价值观是一切事物的基础，但是离开方法论，最终都会沦为虚妄无用。内心接受了使命后，2013 年 6 月，我正式注册了“趁早”。

严格来说，趁早的诞生并不是我经过思考与寻觅找到的，它的到来是顺势而为、应运而生的结果。

趁早对于我，相当于二次创业，同样是运营公司、组建团队，但与我之前的 B2B 运营模式区别极大。抛开使命不谈，完全从商业角度考虑，就是一切关于用户需求、产品计划和营销渠道的考量。加之正在开发的趁早 APP 和与之打通的 PC 端和移动端平台（也就是人生任务管理工具平台），所有工作内容都是围绕为用户提供线上或线下、免费或收费的人生任务管理工具。有市场、有产品、有用户，这便是一个完整的创业项目。

“宣扬”趁早精神并不是我们团队的事业核心，它是蕴含在做事格局中的天然价值观。包括运营 Motionpost 目后佐道顾问有限公司，我们秉承的也是同样的精神和思考方法，比如把作为人的意义放在性别之前，强烈靠谱、逻辑、复盘、目标和结果导向，强调自我了解，尊重天性，保持率真。无论我们做什么，这都将是产品精神和烙印。

创业精神和创业项目是两件相关联的事。举个大些的例子，我的超级偶像维珍集团（Virgin Group）董事长兼总裁理查德 · 布兰森的冒险与游戏精神从未变过，使得维珍集团旗下有 200 家跨越无数行业的公司都带有冒险与游戏的烙印。一个团队可以用冒险的游戏精神做一个游戏公司，也可以用务实勤劳的农业精神做一个农业公司，也可以用励志精神做一个励志类产品的公司。

而从 2014 年 7 月开始，我真正的事业与使命标志，是成为《时尚 COSMO》中国版主编，成为一个真正意义上的媒体人，肩负起引领和书写一代女性成长的使命。

特别感谢你问我这个问题，也帮助我再一次梳理了思路。无论是《时尚 COSMO》还是趁早，我内心深处认为，我的使命和真正事业是——通过传播精神，提供好的思考方法和工具，帮助和影响一代年轻女性的成长。这一代年轻女性会成长为妻子、母亲、各行业的中坚力量和领导者，她们会影响这个世界的现在和未来。

*Part 2*

# 熬过所有的草木都发芽

——关于奋斗

## 20
## 与你以外的世界相处

**珊珊：**潇洒姐，建立自己的人际关系和提升自己的能力哪个更重要？

**潇洒姐：**学习能力、工作能力、解决问题的能力，都是生存之本，所以不用说一定随时随地很重要。

我猜你是想问，出来做事是否应该花力气维护和投资人际关系，即使自己不大擅长——因为好像很多人都在这么做而且效果不错。

人际关系也是一种能力。不过，这种能力的形成和使用挺复杂的，我本人也掌握得一般。

所以就这个问题，我还是只能回答我总结出来的有限几点，如下：

1. 如果吹牛和阿谀都还做不到自圆其说和逼真，还不如实事求是地沟通。
2. 诚恳和谦逊点儿总是好的。
3. 一开始就知道兑现有难度的事，别瞎答应。一旦答应了，费劲也得兑现。
4. 不要太抠，该埋单时候埋单。

5. 看到别人的优点，或对别人很感激，要表达出来，用朴素的词。

6. 如果 A 有个优点你特别服,即使你不喜欢 A 这个人,A 的优点你还是该学。

7. 练习换位思考（非常重要），尝试理解对方需求。人际关系的本质就是了解和应对别人的需求。

8. 负面的情绪化都不明智。

9. 有的人就是会慢慢失散，这是必然的。

10. 人际关系拼的不是技巧，是天长日久。

## 21
## 掌控越多不确定越少

**洪涛：**如何提升内心的淡定和处事的从容，去坦然面对身边的人和事？

**潇洒姐：**越能掌控的人与事，自然越少惊慌失措，所谓少见多怪，这道理咱们都知道。平常心得以见多识广为基础。当沸点越来越高，人慢慢就能变得淡定。这是从时间和见识角度来说的。

还有一个角度，先分享一个小经历。我上大三的时候，有一回半夜我们宿舍俩女生吵架，吵得可凶了，恨不得翻出几年间所有的恩怨情仇，波及的其他女生也纷纷参加了吵架。我坐在上铺观战，跟看电视剧似的。中间有一串争吵内容涉及我，我不服，也想参加吵架，但由于我在上铺，俯瞰整个宿舍，在张嘴瞬间突然觉得：哎呀，我们宿舍 8 个人，面积 20 平方米，在这 20 平方米吵架好没档次啊。当时我的内心觉得我的未来大着呢、广阔着呢，跳脱出来在广阔未来看这个吵架肯定特傻，于是为了早点睡觉，改成劝架。

后来，我就记住了这个经历的思路：特别在意和计较眼下，就难坦然。多数纷扰的人与事其实都处在“看一看，这样啊”的级别。着急往前奔的人没时间停下来围观、琢磨和惊奇，心里憋着大事，容易淡定。

## 22
## 请给我努力之后的运气

**羽凡：**潇洒姐，晚上去了个会看八卦、懂周易的朋友家吃饭，所以打算问您个好玩的问题：您这一生中算过命吗？您信吗？您怎么看待“命中注定”这件事？

**潇洒姐：**这是一个世界观上的大问题、好问题，但我对回答这个问题没什么自信。

世界观是先入为主的，受成长教育和环境影响特别大。小时候我爸总跟我说：世界是物质的，物质是运动的，运动是有规律的，规律是可以认识的，认识是无穷尽的。这个系统好在清爽、直接，强调物质的客观和人的主动，很有利于成长。成年以后，我也读了一些宗教方面的读本，里面的许多观点都很智慧，但由于没能回答我的疑问，也就没能说服我之前的世界观逻辑。

其实，有信仰的好处很多。在人类 99% 的糊涂时期里，经历了漫长的无知、无助、无力、无奈的状态，只好求助于神，于是神给了人希望，也慰藉了人，没有神，人就挺不过来。神，第一让人充满希望，第二让人不敢作恶，所以神与其无不如有。还有，按照推理，彻底的唯物主义者是最狠、最无情的，因为不相信因果报应，不会怀有敬畏之心。

一定有超自然的力量，人类科学无法解释或尚未发现，灵魂、人的能量或者命运也许是其中的某种，也许不是。在趁早理论里，命运是想象力被执行后所到达的限制。这限制，有一部分来自于天赋，天赋是一代代的进化，是祖先的一次次选择，是受精时候的概率，其实想想看，运气更像是超自然范围里的事。

所以，向神佛跪拜说出自己的愿望的时候应该默念："我会用好自己的天赋，我会努力的，请给我努力之后的运气。"**运气应该是天赋和努力条件俱足时候才会得到的馅饼。人们一直在试图为福祸和功名利禄找答案，其实答案的大部分始终在自己身上。**

另外，有人给我算过八字，说2016年起大运，挺大一个运。所以命运的印证，真到了2016年，说不定就知道了。拭目以待。

## 23
## 做我能做的

**WYY：**潇洒姐，在您取得成绩的成功因素图谱中，家庭带来的起点和人脉占多少比重？北京这个平台的优势占多少比重？个人运气和努力又有多少比重？

**潇洒姐：**父母给我的遗传、天赋与启蒙教育是我性格和世界观形成的基础，这些综合起来也许形成了我抗压和解决问题的偏好，最终导致我选择不断前进和创业作为生活方式。这部分至少占40%。

当我决定创业时，我的爸爸对我说："大胆去做吧，实在不行爸爸养活你。"家庭的无条件支持对我来说意义重大。包括后来我先生的支持。这部分占10%。（如果得不到支持，我可能也会选择同样的道路，但一定会走得更艰难和辛苦。）

开始创业后，我的第一批客户几乎都来自同一个好朋友的介绍，她就是我在书中写到过的"何大人"。她对我充分信任，对我的能力充满期待，我也努力使服务和产品质量不辜负她的信任。由于她的牵线，使我顺利度过了创业最危险的前半年，也为后来事业的发展打下了基础。这部分占 10%。不过，这部分的效用只限于当我的公司还在经营 B2B 的业务时。

后来，我出版的图书成了畅销书，作品和主张被许多读者熟悉，再到创立“趁早”品牌和生产产品，这部分我认为几乎是由个人努力来兑换的。我努力的主要方面在于一直有思考、总结和书写的习惯。而身在北京让我离讯息和媒体中心更近，会加快内容的传播。但如果没有努力在先，也就没有内容、没有传播，身在北京也没用，就更谈不上运气了。因此，努力部分至少占 40%。

综合来看，家庭给我的先天性格特质和个人后天努力加起来至少占 80% 的比重。换言之，如果先天比例低，确实应该更努力；而那些先天就有 70% 的人，只要稍稍努力就好了。就是这样，**世界从未公平，先天无法选择，只有努力不虚。**

# 24
# 鸡 汤 小 酌

**冷小 E：**我爱看鼓舞人的文字，但读着读着觉得有的文字就是鸡汤，怎么能不受鸡汤误导?

**潇洒姐：**鸡汤文字未必不好，很多都在用情感化的方式传达智慧与温暖。还是要看鸡汤文字的重点是在表达什么，论点最后落在哪里。误导人的鸡汤，最后论点都经不起推敲。

说坚持就一定会成功，所以你要坚持。
不分析坚持的前提条件，不考虑环境与天赋，只说坚持。

说人与人生而平等，所以你拥有同样的尊严。
面对这么明显经不起推敲的鸡汤就只能呵呵了。所有人只有面对一件事时是平等的——死亡。

说满足自己的现状才会快乐。
违反人类的天性，通过自我说服才能去满足的根源还是不满足。求而不得，只好说满足，因为说追求无能太虐心。

这些鸡汤文字安抚情绪，但什么也没做。
讲一段温情脉脉的故事把你代入，你唏嘘感慨，好像得到了涤荡。然后，你的现实问题还在，你一没获得解决思路，二没行动。

基本上，鸡汤文字就不是来给予方法的，医治和稳定情绪的功能更大。情绪是需要医治的，不过鸡汤文字的效果短暂，真正让现实改变，是医治情绪的最好办法。

## 25
## 未 必 会 更 好

**来来：**我最近状态非常差，工作、恋爱、身材、皮肤都到了历史最低点，我只好看励志类的书，相信自己明天会更好，相信会有一个更好的自己出现。但是除了相信之外，我真的不知道更好的明天什么时候能来，这种等待也很煎熬。求问潇洒姐如何破？

**潇洒姐：**先默念下面两句话：我不一定能变成更好的自己！我的明天不一定会更好！

自我打醒，比自我催眠好用百倍，何况这就是真相。

真相显而易见。当我们观察周围生活的人们，发现只有少数人做到了更好。不是所有人随着时间推进都更开心、更漂亮、更有活力、更富有；相反，我们总会看见人们是如何磨灭了神采，渐渐面目模糊，最后完全背离最初对自己的想象。

这事不用鸡汤书写出来，所有人潜意识里都必须相信明天会更好，只有相信，才能坚持生活下去；但是世间兴衰起伏，悲欢离合，天灾人祸，凭什么就一定会更好呢。我们相信有更好，得先研究出更好的依据是什么，然后寻找和加强依据，让“更好”这件事存在逻辑。“等待”只针对这个时间维度和加强依据的过程而言，更好没到来之前的时间，我们与其把它叫作“等待”，不如叫作“准备工作”。

把工作、恋爱、身材、皮肤都列成项目，设定更好的量化目标，然后分头去做准备工作，这么多事，多忙啊，忙起来都没有时间感觉到煎熬了。**准备工作越充分，更好的到来就越能成为可能，否则“更好的自己”就是自欺欺人，没有理由相信。**

## 26
## 时代里的小人物

**小武 Jac：**潇洒姐，我想知道什么事是您觉得无能为力的？

**潇洒姐：**凭借一己之力不能解决的事，都让人常有无能为力之感。不过我早就习惯了作为芸芸众生中渺小一员的限制，坦然接受以后，去改变也许能改变的。

但无能为力这感觉依然会在某些时候袭来，有几次特别强烈。

一次是看电视上东日本大地震引发的海啸的航拍画面，看到海水如何大面积快速地吞噬田地，非常震惊，并在那一刻为人的渺小感到绝望。那几天我都没有再说天赋、努力、运气之类的话。

一次是看到甬温线“7・23”动车事故报道，也被惨烈的程度震惊。以为自己已经了解了身边世界的荒诞，没想到荒诞程度还是完全超乎了想象。继而发现我们原来都是时代里的小人物，历史中的祭品。

这两次都在逼人把视线移回到自己身上来，因为这样看来，最确切而能改变的，真的只有自己。但与此同时，我又发现对人性的弱点，特别是其在自己身上的反应也总是无能为力：欲望、怀疑、恐惧……没有一天不处在面对和调节当中，却从来无法阻止它们的陆续出现。

但我想，**做一回人的意义，就是在随机而有限的生命里，在那些无能为力中，做过最大化的抗争吧。**

## 27
## 我 的 缺 点

**暖色系：**亲爱的潇洒姐，如果不介意的话，能跟大伙儿说说您的缺点吗？

**潇洒姐：**谢谢你的这个问题，这个问题让我思考了好几天。因为我发现竟然没能在看到问题的第一时间脱口而出列数自己的缺点。这就说明我看待自己不够客观犀利，也有太久没有停下来审视自己了。

而且，我在思考答案的过程中还会不停地为自己开脱，会想“其实也还好啦，没那么严重”“我已经注意到并且正在改正的还算吗”之类的。现在我觉得，只要意识到并有意弥补的都算缺点。缺点就是那些有损于达成理想型自己的行为，以及有损于和他人合作与信任的行为。

我的缺点是：

1. 言胜于行。

我说了写了很多的东西，都是我总结或者笃信的，但自己依然常常做不到。即使我设计了趁早效率手册，也没能治愈懒和拖延；我出版了《女人明白要趁早之和潇洒姐塑身 100 天》，锻炼也时有中断。也就是说，我说出十分的话，自己只做到了八分，有时甚至是六分。我期待自己做事有逻辑按计划，但从未做到如我自己想象中坚持。

2. 好奇过分，兴趣多而杂。
我觉得这个也好玩那个也不错，了解到很多皮毛，却极少把一件事研究到纵深。然后自诩自己是一个通才，而不是一个专才。这很多时候成为缺乏耐心和专注力的借口。其实，我在新浪微博发起 # 每天专注三小时 # 这个活动，就是为了克服这个缺点。

3. 想要一切。
好多人表扬过我：知道自己要什么。问题是，我想要一切啊。之所以在要的过程中已经理出了头绪，明白了很多轻重缓急，那是因为碰了钉子之后知道了“本阶段我只能要什么”和“我还需要积累哪些条件才能都要”。真相是：为了最终要一切，实施战术性阶段性自知。说实话，我还不能确定这个一定是缺点。

4. 投机主义心态。
我喜欢创业的一个方面就是——永远不知道下一个电话是谁打来的。这种说好听点是热爱惊喜相信奇迹，其实算是投机主义心态。这个缺点在我周围的人中也挺普遍的，有点儿时代心态的意思。现在我克服的方法是，不管有没有馅饼掉下来，我都种好自己的玉米地。

今天在广州出差时间所限，先暂时总结到这里。我觉得，**能意识到的缺点，就有改正的可能，最可怕的应该是那些我还没意识到的缺点**。

再次感谢你的这个问题，下一次有人问我的缺点，我一定能做到脱口而出。长存于心，才能警钟长鸣。

# 28
# 比 别 人 更 擅 长

**Amy：**潇洒姐好！当我们没有比别人更擅长、表现得更好时，我们凭什么自信呢？

**潇洒姐：**自信的来源是自知。

当我们独处时，我们的自信建立在对自己的了解上：自己的所知所能、好品格和潜能，所有这些汇总在一起后是自己的独特性。

我们的自信还来源于个体的进步，比如今天比昨天更丰富的经验、更流畅的表达等等。自信就是内心确切的驾驭感。

当面临和别人竞争时，这份驾驭感就是对胜算的把握，和实力直接相关。所以不能明显胜出时，盲目自信就没有依据。想在竞争中自信，增强实力是不二法门。

但是，虽然竞争惨烈，对手强大，如果我们已经为迎击竞争做过了精心准备，我们应该为这份准备和付出自信。虽然驾驭不了竞争的结果，但可以驾驭竞争中的自己，做到最好。每经历一次精心准备，就是一次个体进步，一次次进步的累积，终将做到比别人更擅长、表现得更好。

## 29
## 熬过所有的草木都发芽

**晚灿：**潇洒姐，您怎么度过生活里的低谷？

**潇洒姐：**打击和坎坷到来时，我会先尽量平复情绪。
通常，平复的方法是使劲思考，努力想来龙去脉和分析原因，尤其是在整个事件中我的错误是什么。我还会把想出的答案写下来，这样能预防自己在第二波情绪袭来时思路混乱。当然，最重要的是在思考的同时寻找解决方案。不过，多数时候，都是一时找不到方案的。

为了帮助情绪平复，我还会做更多的锻炼、养护皮肤，或者整理用品让我和我的生活干净整齐。这是在暗示自己去控制能控制的部分。很多时候一个点的打击会让人的生活全面滑坡，而我希望能把一个点的坏影响降到最低。

如果很久了还持续在谷底，我会给自己画出一个波浪线图，标记自己在图上的位置。如果感觉不能再差了，就把这位置标记在波浪线的波谷，然后冷静地观察这个图，告诉自己这是事物的规律——虽然我不知道下一个波峰什么时候来，但一定会来。我要促使它快点来。

如果一切都做了，还是没有看到希望，就只剩最后的一个对付低谷法宝“熬”。**熬过冬天，熬过所有的草木都发芽，熬到情绪平复，熬过隐忍的每一天，直到再一次看见希望的光。**

关于更多，请参考《女人明白要趁早之三观易碎》里面的文章《走夜路的姑娘》，那是我很珍爱的一篇文章，因为它是用我和我朋友们的低谷经验书写的。

# 30
# 鸡 血 本 人

**Ophelia_Fang：**我想知道所有事情都有任务感和使命感会不会过于鸡血？我每次以这样的状态坚持一段时间后就会感觉活得很累，心境也不够淡定，有什么办法取得平衡、稳中进步？

**潇洒姐：**大多数学习、工作和关乎个人发展上的事，都有量化目标，也都有截止日，即使自己不设立，他人也会强加于你，躲也躲不掉。使用些项目管理的方法，按照任务逐个寻找解决方案就可以把这些事处理得高质高效，尽早完成，为玩耍、休息和享受有趣人生多留出时间。

这些项目管理方法应该算科学，而不是鸡血；快速解决问题应该算效率，也不是鸡血。还有那些天然地沉浸在一个项目里的乐趣和完成项目的快感，是我们应该追求的东西，都不是鸡血。

那鸡血是什么呢？是明明自己不喜欢、不乐意，尤其知道自己不胜任，却每天早晨还在镜子面前告诉自己是最棒的。“我能，我一定行！”这种庸俗成功学的自我洗脑方法没有根基，当然肯定也支撑不了多久。

还有一种鸡血，就是的确受到鼓舞，觉得短时间突击就可以收获，但持续坚持了一段之后看见收获未明，就开始气馁。打一针鸡血只能管用一个星期，只好隔一段时间再去打上一针，结果一针比一针效果差。渐渐地，对自己有点丧失信心，又开始到处求猛药。

习惯不会突然养成，人也不会突然变得高效，总有过程。我有很长一段时间都通过想象自己在山洞里闭关练武功来自我劝慰接受缓慢的进步。苦练三年也好，反复也好，总有练成之日。当你练得有点儿烦的时候，你就想象自己威风凛凛、身怀绝技惊现在江湖那天。当你练到出手又快又狠又准，你就不再需要把鸡血打进去，你就是鸡血本人。

你说的“稳中进步”，本身就是答案。

# 31
# 超越他，然后忘记他

**M：**请问潇洒姐是如何对待自己心中燃起的嫉妒之情的？我自己是理智上很清楚应专注于自己的进步，不应受别人干扰，但是实际上，当有人在我面前炫耀时，我仍然压抑不住自己的嫉妒之火，很是困扰。

**幸运小宇宙：**潇洒姐怎么处理别人对您的嫉妒？

**潇洒姐：**有两个问题都关于嫉妒，那就一起回答吧。
首先，嫉妒与虚荣心都是人类进步的诱因。当有嫉妒产生时，表示已经在承认“己不如人”，实则是对自己无能的一种愤怒。嫉妒是人之常情，但是嫉妒情绪袭来之后的行动，是黑对方还是追对方，才会真正把人与人区分开来。

当我嫉妒别人时，最好的自我引导当然是让嫉妒之火转化，成为追赶对方的动力。当年刘邦和项羽看见秦始皇南巡时各自说出的“大丈夫当如是也”和“彼可取而代之”，很难说是不是一种嫉妒。我们最好是迅速把嫉妒对象当作目标和榜样，观察其优势和复制学习的可能性。我现在能做到谁也不嫉妒，比我棒的全是榜样。

别人的嫉妒更难处理一些，因为嫉妒可能会上升到仇恨。不过，只有那些离我够近的嫉妒才能真伤害到我。当别人嫉妒我时，说明我已走在前面，我只希望自己走得更远。当别人的嫉妒伤害不到我，别人的嫉妒就显得更加无力，只能他自己想办法消化。彼时我已走出去很远，那已不是我能关心的事。

嫉妒谁就超越谁，嫉妒自然痊愈，如果实在超越不了，那最好的解药是看不见。如果你嫉妒别人，又一时半会儿超越不了，那就不要让自己常常看见他的人和消息，只管默默努力；如果别人嫉妒你，最好是你成长到更高的平台，到那时，你真的看不见他。

我们嫉妒过的人，我们要超越他，然后忘记他。同样，对于嫉妒过我们的人——请你在嫉妒中升华，请超越我们，然后忘记我们。

32

# 世 间 是 否 有 追 男 高 招

**Lexie_W：**潇洒姐，求追男高招，不求修成正果，就是想试试。

**潇洒姐：**这个问题挺难的。

但我喜欢这个问题，因为“追男”体现了对实现愿望主动出击的态度，“想试试”体现了年轻人的冒险主义情怀，而且又是为了达到目的探讨方法论，非常符合 # 潇洒姐每日问答 # 的精神。

不过，不知道你用来衡量追男得手的标准是什么，得手有若干种，最高级那种应该是让该男动了真心——但问题是你又不是认真的，这就成了玩儿人。还是尽量不要玩儿人，这容易造成局面不好控制和夜长梦多。有一类人，持续地通过玩儿人得到存在感和自信，等同于买衣服穿，属于向外搜索标签加诸自身，所以获得的自信也不持久，还得常换常新，一想就很麻烦。趁早精神的核心，主要是玩儿自己。

我一直觉得，就算是追男得手，从来不是因为努力而成功，而是因为让对方有机会看到你的个人魅力，终究是人本身吸引了对方才得手的。这里面就是两件事：一是如何让对方更多地看到和了解你，二是如何让对方看到和了解后真正发现你确实有个人魅力。

第一个就是找机会、创造机会，增多共处时间；第二个还得靠外在和内在同时自我修炼，这就又回到了玩儿自己的话题。虽然人和人区别大、口味杂，但是**顺眼好看和从容率真一直是最容易凸显个人魅力的地方，猛练这两个点，一般能吸引到大多数人。**

我个人认为，要尽量避免穷追猛打，谨慎表白，而以多出现、多展示、多聊天替换之，表面或高冷或随意才能更像一个无防备的猎物姿态。这就是为什么许多装“绿茶”、装无知的姑娘出手常常能得手的原因。不过雄性在进化里担当着狩猎者的角色。其实究竟谁是狩猎者，都未可知。

趁早精神讲求坦诚、真挚、不装，维护个人意志和尊严，持续丰富自我以求把握主动权时傲娇一些。当你发现你愿意为了追求对方放弃尊严和傲娇，你肯定不止是想试一试，你大概是遇到了真爱。

关于创造机会的技巧，可参考已出版的书《女人明白要趁早之三观易碎》中的《你可以不恋爱，但一定要约会》。

## 33
## 超 越 的 开 始

**summer 琳琳**：潇洒姐，您曾经自卑过吗？在同事、同学，抑或是喜欢的男生面前？

**潇洒姐**：成长本身就会伴随着自卑感吧，至少我经常能感受到它。

而且自卑的诱因种类繁多，来自各个方面。多数时候我不会和同事、同学刻意比较，但竞争环境总会提醒我差距的存在。当我感觉到明显的差距，然后又发现这差距是自己一手造成的时候，经常会萌生自卑。

自己不够好，就想办法变好。自卑一定是所有个人成就后面的主要动力。感到自卑会推动一个人去超越和完成，当超越和完成时，自卑感褪去，成功感到来。这种褪去和到来交替的快感会让人成瘾。于是向上看，又产生新的自卑感，再克服，最终进入良性循环。当然，也有因为自卑往负面走的人，造成长时间的抑郁压抑，其中有一个原因就是他并不知道自卑可能是常态。我觉得咱们中学、大学应该开设这类辅导或者公开课。

我在学科成绩、外貌、个人能力上都自卑过。现在偶尔的自卑来自面对行业大咖的时候，觉得自己格局小、底气不足，站在那里像一只小蚂蚁。不过，现在往回看，我发现很多时候的自卑是自我低估造成的，其实自己没有那么差，而且一定会更好。

总之，**感觉到自卑挺好的，肯定比自负好，自卑是因为“知不足”，“知不足”才是超越的开始。**

## 34
## 温 和 的 力 量

**Rachel Young：**潇洒姐，请问如何做一个温和有力量的人？我和一个朋友都是安静少话但想法很多的人，这个问题我们想了很多年但一直没有答案。不会因为寡言而被忽略，或者说是一种不争夺、不喧哗、不卑不亢、不需要通过别人的认可来承认自己、很沉稳能Hold住全场的姿态，我觉得这就是我期待的自己。但我一直找不到方法来行动，身边的人也没能给出确切的答案，希望您能帮我解答多年的困惑。

**潇洒姐：**你好，你描述的这个理想自己，我也幻想过很多年，但从未实现。

而且，我在幻想期间发现了自己心态上的一个矛盾，这个矛盾在你的描述里也有体现：貌似出发点是不愿意努力表现自己和取悦别人，但最后落脚点依然是想"不被别人忽略""Hold住全场（上的别人）"。

这个"理想自己"，说白了还是一个"和别人关系中"的理想自己，借助他人的眼睛完成自己的存在和认知。所以既然是自己和他人的关系，必须克服"不需要通过别人的认可来承认自己"这句话中的自欺欺人。凡事都有因果，有投入、有掺入，希望享有这份关系，就必须建立这份关系。

再说白点儿，你想问的应该是，在不阿谀奉承、自吹自擂的前提下，在不四下活动甚至话都不用多说的情况下，如何获得社会尊严。

那么反过来倒推，凭什么你出现不说话也不会被忽略？凭什么你一出现就Hold 住全场啊？什么样的人可以做到以上两点？你也做到的话，你的问题就解决了。

能做到这两点的人大概就三种，要么名声如雷贯耳，要么功德让人心生敬仰，要么仪表不怒自威。这三种人的炼成都需要许多功课。如果你依然希望以寡言、不争夺、不喧哗来达到这一切，你只有默默努力取得成绩，让人们知道有这样一个人在做着他们做不到的事，让他们发自内心地钦佩和敬仰你。

我理解的温和力量，温和是于无人处努力，力量是这份努力得来的成绩与自信。运动员和作家，都是这一类人。他们只埋头做自己的事，用答卷说话。然而，你必须重视的一点是，答卷评分依然来自于社会上的别人。成绩总是要到拿到社会上的别人处检验。去投入和争取这份检验，就是行动的方法。

## 35
## 三 种 成 功

**Yvonne：**潇洒姐，什么是成功？对人来说和对女人来说？

**潇洒姐：**定义成功，要看谁来定义。我觉得应该分成自己定义的、周遭亲人定义的，以及大众世俗定义的。

自己定义最简单，就是完成自己想完成的事，过上自己想过的生活。这个标准是：自己开心就好了。说难又难，因为我们无法不去兼顾别人、不与社会做一些表面上的妥协。

成功被周遭亲人定义，是有中国特色的普遍现象。太多爸妈由于希望子女沿袭他们认为的成功之路前进，给子女规划了人生的每一步。通常，这种成功意味着找到一条投入最小、最稳定、最安全，甚至一直有人罩的人生道路。至于被规划的本人是不是感觉快乐与成功，那是另外一回事。

大众世俗定义的成功最好描述，应该是：实现（大众普遍认为的）有价值的理想，并获得与之相符的物质收入、社会地位与尊严。极个别实现这样的成功的人，并没有真正完成自己最初定义的成功并让亲人认同和高兴，造成有声音说世俗成功不重要。但其实，世俗成功越大，前两项都满足的可能性越大。

三种定义如果都能满足，就是现世最大、最圆满的成功。男女皆然。

# 36
# 如何道破

**柴慈蕊：**很少见潇洒姐在微博发表对事件、社会的观点和看法，是什么原因？

**潇洒姐：**历史只上了一年，我就厌弃了这门课，因为故事和桥段太相似。一拨人成了王，他们的敌人就成了底层，时间久了，底层忍无可忍翻身成功，便又成了王，把之前的仇家踩在脚下。于是历史就是两类人滚来滚去，几千年轮流坐庄，我变成你，你又模仿我。我干吗要记得他们坐庄的年份，干吗要记得他们得到又失去的疆土？因此从小我历史成绩就不好，总是记不住宏大叙事的背景和渊源。

多数社会事件新发生时，我都是有观点的，然后我总会把事件中间的形势和人群放入到以上的规律中去看待，觉得一定是某段历史的发生和重演。但由于历史不好，伦理学、社会学、经济学也都不好，我想从全局上想清但又没有能力——说白了，我觉得只有真正智者的观点，才配是观点。智者就是那些可以站在半空中向下看并一语道破的人。

做不到达观看世界之前，任何观点和看法都有立场，我不想成为一个利益被损害就跳骂、有既得利益就拼命维护的人。可是，我现阶段的观点还没能超越这个境界。既然成不了智者，至少先避免成为一个狭隘的人，那就是避免动辄就点评、就站队、就公开吵架。就我本人来说，尤其不擅长吵架，也几乎没吵过架，一般都是默默走了，心中说“时间看得见”。

人在历史里活过的最低标准是平安健康，中间标准是有所响动，最高标准是引领和造就历史。最低是芸芸众生，中间叫影响世界，最高叫不朽。中间那一层，我们其实是可以做到的。有力量影响世界之前先改变自己，然后再影响周围两三个人，然后七八个人，小小的多米诺骨牌总会波及开去。

当我们看到正向的东西，先肯定和汲取它好的部分，之后如果自己有能力，就亲自动手改正它不完善的部分。如果自己没有能力，就去训练自己，直到有能力的那一天为止。无论如何，都好过旁观的点评和抱怨。

# 37
# 崭新精彩的个人品牌

**桑落洲：**潇洒姐您好，我由于自身原因不适合太多沟通的工作，希望像您一样能创立个人品牌。请问需要学习的知识有哪些，从哪方面入手？谢谢！

**潇洒姐：**我在拥有个人品牌之前，有5年的乙方公关策划公司经验，这些经验为品牌建设打下了基础。不过，无论是“潇洒姐”还是“趁早”，都属于无心插柳型的建设，在初期并没有完整的计划和畅想。之所以有所发展，是因为符合了个人品牌的建设规律。因此，如果你希望建立自己的个人品牌，需要来了解这些规律是什么。

严格来说，“潇洒姐”属于个人品牌，“趁早”属于具有核心价值观的群体品牌。咱们今天先尝试分析个人品牌的建设要素。

首先，你需要持续地产生有价值的内容。这些内容可以是文字、图片、语音或者视频。建议你为此学习流畅书写、简单图片制作或视频剪辑，并熟悉互联网和移动互联网上人们的阅读习惯。

你需要成为一个持之以恒的生产者。你生产的内容要有卓越的性格标识，有响亮标签，价值观要明显。内容是品牌价值的核心。建议你为此勤劳起来，常观察思考和积累，并且敢于强化自己的特点，哪怕这个特点有争议。

你需要训练自己善于讲述，文字、图片和视频都是讲述方法的一种。你的内容主线可以由故事引导，也可以是事件评述和感受描述，但要真诚有趣，避免空洞。人们会被一个有趣的人深深吸引。

你还需要寻找到一个可以被阅读或观看的平台，平台的流量可以让你的内容被最大化传播。平台一旦选定，要植根，要适应规律，要在平台互动。

你的个人品牌应该有一个响亮的名字，也可以有 Logo（标识），有 Slogan（广告语），有明显的个人视觉识别，这些元素和现代商业的 CI（Corporate Identity，企业形象设计）规范道理一样。建议你学习一下企业的 CI、VI（Visual Identity，企业视觉设计）规范。

最后，你还是要尽量训练自己的沟通能力，无论是线上还是线下，沟通能力无处不需要。如果你的个人品牌建设得好，你早晚都要走出来以真身面对世人，这个考验无法逃脱。

互联网时代是这些年来大家离“中国梦”最近的一次，我觉得“中国梦”的含义就是：平台就在那，机会很均等，游戏规则都看得见，就看你自己怎么玩啦。鼓励大家都尽情地玩，谁玩出来算谁的。

祝你建立起一个崭新精彩的个人品牌！

# 38
# 批 评 在 闪 光

**亮晶晶：**潇洒姐，请问您之前打工或后来创业有被否定和不被看好过吗？别人对您评估偏低时怎么做到相信自己勇敢前进，对您估量客观时又怎么有自知之明虚心接受？

**潇洒姐：**我现在比以前豁达多了，以前听到负面评价，常有的反应是“你跟我很熟吗”“是你不懂吧”“我不服”“你等着”。后来，我把“你等着”换了一个说法，叫作“时间看得见”，哈哈。

也有很多评价特别精准，我瞬间“中枪”。我觉得对自身的正视都从“中枪”开始。“中枪”后我的内心戏是“确实，谁让我还是不够好呢”，然后会马上想怎么做，然后去做。我对毫不留情的刻薄而到位的评价又爱又恨，长远来看还是爱的。

当有些评价关系到判断和选择的时候，我会认真去分析一下对方的立场和经验。我很重视那些具有丰富人生体察和职业生涯的人的评价，但我更希望他们能给出批评后的建议。批评一个人，批评完要给出矫正建议；批评一个产品，批评完要给出改良和替代方案。我们不要破坏性沟通，评价要用来推动事物发展。有时候我会主动请教改良方法。通常评价越客观、理性，建议越真挚。

兼听则明，有则改之，中肯的批评对我的帮助很大。他人的话总是镜子，不是折射出你的现状就是折射出他的格局。负面评价中一定有妒恨、发泄和评价人自己解闷儿的部分，我一直在练习辨认和忽视这部分。这部分才是“走自己的路，让别人说去吧”部分。**一大堆批评里，一定有几块是好宝贝，找到它们，珍视它们，让它们照耀你前进。**

# 39
# 高 手 寂 寞

**孟疯疯：**很多事情做起来感觉很寂寞，尤其是学习和锻炼，一直也克服不了那种寂寞感。对此，您有什么建议？

**潇洒姐：**巧了，前两天有个朋友也和我聊了差不多的问题，说跑步这个运动不错，但是来来回回就是自己一个人，太单调、没意思，问我怎么看。

我说一开始他们忽悠我跑步，我就试试跑了，然后发现这个运动的特色是孤独，说得文艺点儿就是寂寞。然而，我在过程里体验了三种不同阶段的感受。

一开始我发现了这事的寂寞，觉得自己真是盲目跟风，一样是运动，我组团跳操或打羽毛球也不错，何必非得参与这个呢。本来，我的日常生活主要由创业和写作这两件事组成，都是一个人面对电脑、面对问题，本身已经够寂寞了，我干吗再叠加一种方式全方位体验一遍？我如果不选择做这件事，就不必经历寂寞的体验。

后来跑了一阵，我又想，没有前面寂寞的写作，也就没有读者的分享和共鸣；

没有创业中独立的决策，也就没有后来团队的发展方向和成长。同样，没有跑步，就没有完赛半程马拉松的快感，没有低体脂的好身体。你期待有好产出，就得预先做足投入，这就该是向前走的生活应该有的样子。

再后来，我像习惯了创业与写作一样，又一次慢慢习惯了独行。我想象自己是一个侠客，心中沟壑万千，走过天地万物，明月照大江，酷、高冷。中间也有热闹纷扰，就像侠客会在沙漠里的客栈停下来和众人喝一碗酒，谈一夜心，看一眼姑娘记在心间，黎明时分带刀继续独自上路一样。客栈里还有侠客的传说，而侠客早已远行。

哈哈，既然已经寂寞，那就试试做寂寞里的高手。高手皆寂寞。

# 40
# 来 下 一 盘 棋

**雪薇&景萱：**最近把潇洒姐的所有视频、书籍、微信、博客集中看了一遍，里面反复提到一个词“复盘”，想请问潇洒姐何谓复盘，如何复盘?

**潇洒姐：**如果用百度搜索“复盘”，会得知这是一个象棋术语，互动百科里说得特别好：通过复盘，当某种熟悉的类似的局面出现在你面前的时候，你往往能够知道自己将如何去应对，在你的脑海中就会出现好多种应对的方法，或者你可以敏锐地感觉当前所处的状态，从而对自己下一步的走向做出判断。

简单来说，复盘就是做完事之后，再从头过一遍。分析得失，找原因，认识和总结规律，不断校正目标。复盘是为了不在同一类坑里摔倒，不重复爱上同一种浑蛋。就算起点低、人傻，只要往前走经历事，只要练习复盘，就一定能通过积累变聪明和得到成长。我的书《女人明白要趁早》其实就是24个复盘故事，把经历过的事情思考了一遍，找到了症结，认清了自己，总结了规律。

那为什么偏要叫作“复盘”而不叫作“总结”？这是故意弄一个好像很高级

的词显得很践吗？我觉得是因为复盘是个很好的比喻，因为它把你的路程比喻成一盘棋，既然是棋，就有远景，有战略，有部署，有要赢的心，也有当下的每一步，且步步相连。这样看问题长远，想问题有谋略，而且既能更明确当下每一步与未来的连带关系，又不太会纠结于一时一隅。

如果我们的人生是一盘棋，要想每一步落棋不悔，确实应该审慎行走；如果每一件事也是一盘棋，确实应该在胜负决出之后回顾总结，让未来赢的概率更大。敢于对弈，然后接受输赢，然后复盘，然后再战，才能早日炼成清醒的头脑。明白要趁早。

# 41
# 站在聚光灯下

**山蒂 Shandy：**潇洒姐，每次面对众人演讲，您紧张吗？如何克服当众表演和演讲的紧张不安？

**潇洒姐：**我每次公众演讲都有不同程度的紧张。我觉得任何人肯定都紧张，至少在出场前和最开始的一分钟会紧张。

2013 年 11 月在北京的趁早大会上，看到那么多人专程为趁早而来，我可紧张了，前十分钟都忘词儿，两眼发直，身体僵硬，好像并没有比十年前的我进步多少。

但总体来说，随着演讲次数越来越多，我的紧张越来越少，只会在特定场合出现。我觉得，紧张程度和演讲者对此次演讲的重视程度成正比，与准备程度成反比，与经验积累成反比，所以心态、技巧和经验，是最重要的三个要素。

在中国传媒大学上学的时候，我学过一些避免紧张的方法：

1. 排练走上台的仪态，要落落大方、挺胸、步伐稳健，站定后环视全场，微笑。

此乃气场。气场要先赢。

2. 要控制音调和语速。音调避免尖细，语速要放缓，要有昂扬顿挫和间歇。

3. 要尽量不逐句背诵稿件，背诵会导致词句生硬，一旦想不起会造成难堪的冷场。要记忆每个章节的主要意思，在现场要用自己的语言来表达。

4. 多为自己创造机会，和陌生人交谈，在众人面前讲话。

5. 最重要的是，让自己言之有物，有足以支撑演讲的内容和观点。内容和观点的质量远远超出姿态、语音、语调等耍花枪功夫。人格魅力和真诚的故事最打动人，从来如此。

综上所述，内容可以积累，技巧可以练习，在演讲这门技艺上，的确是天道酬勤的。

## 42
## 炎 凉

**白：**请问潇洒姐，如何对待那些对您并不客气的人？我不能转身就走，因为也许有一天会有求于人。我不能否定这种可能性，但又能明显感受到轻视和不尊重，所以很难随时都笑脸迎人，怎样去调节此时自己的心态？

**潇洒姐：**当年，我把《女人明白要趁早》的书稿拿给几个出版社看时，得到的反馈都差不多。

“你之前出版过别的东西吗？第一次写书吧？有出版梦的人很多。呵呵。”
“你这个算什么体裁啊？小说不是小说，随笔不是随笔的，先把文学体裁弄清楚了再写作。”
“我们只出名人的书，你是名人吗？”

我曾经拿着书稿在一个大书商的办公室等人，等了两个小时他才出现。他一边摆弄着电脑一边有一句无一句地和我说话，然后让我把书稿放在桌上。我走的时候他连再见也没说。

我道谢后转过身离开的时候，心里不好受，但我知道，是我自己没有成绩，别人也无从肯定。大家都挺忙的，时间都是用来交给有用的人与事。

几年以后，一切都变了，出版社和书商纷纷来约见我、夸我，送我他们的书，给我发来精美的出版方案，开具出版条件。以前那些话再也没有人来对我说了。**这就是世态炎凉，它逼你不得不自己去印证自己，成为强者。你如果想从不相干的人那里得到重视和尊重，只有先默默地隐忍，然后用成绩说话。**

如果你用站在俯瞰一生图景的高度去看待对方，你一定可以做到微笑、礼貌、谦卑，因为你知道你是谁，但他不知道；你还知道，这之后你会继续前行，前行到看不见的远方。你会微笑感谢这路上遇到的每一个冷漠的陌生人，是他的轻视和冷漠，让你的前行更有力量。

# 43
# 一贴面膜的时间

**渐渐：**# 潇洒姐每日问答 # 您每天都在写，我也追看两个多月了。很好奇您每天是怎么利用时间来写 # 潇洒姐每日问答 # 的？写作过程是什么样的？

**潇洒姐：**# 潇洒姐每日问答 # 的字数并不多，通常用 200 ~ 400 字就可以把一个回答的大体思路写清楚。这是利用短时间高效专注一件事，又是不错的思考训练。我的回答肯定不代表正确与权威，仅仅是个人观点。但当你阅读的时候，依然可以试试先盖住回答部分，就题目思考一遍，再来看针对同一问题他人的思路。对比思路的过程会很有意思。

我每天几乎是用固定时间段来写 # 潇洒姐每日问答 # 的。我的工作程序是这样的：

1. 早上 7 点到 7 点半，起床后先打开微信公众平台后台，看大家的留言和问题。因此，我几乎看过每一个人的留言。

2. 看到一个或几个印象深刻的问题后，我就去洗澡。不知为何，通常在洗澡时我的思路会更畅通，并决定回答哪一个问题和如何回答。

3. 洗完澡，我迅速敷一张补水面膜，坐在电脑前写 # 潇洒姐每日问答 #，尽量不受任何人与事的干扰，只迅速打字。整个回答书写过程通常需要一贴面膜的时间，即 20 分钟。

4. 写完回答，我会把文字发给助手丁丁或者公众平台主持人 Alex，然后摘掉面膜吃早饭。丁丁或 Alex 会为问答配上精美的黑白图片后发送。这一天的问答任务就结束了。

以上这个过程重复 80 天之后，我渐渐养成了新的生活习惯，并对这样的习惯适应和喜爱起来。因为每个早晨用一贴面膜的时间写过的回答，累计起来已经超过 5 万字了；并且这个过程很符合我喜欢的精神——在照料皮囊的同时，不停止思考和工作，一石二鸟、一箭双雕。

你也可以试试每天早晨学习一点东西，或放一点时间在拓展兴趣和自我上，没有多么费时费力，只需要一贴面膜的时间。

## 44
## 默 默 着 急

**时：**请问潇洒姐从什么时候开始能够控制自己的情绪和言行，从而成为理智客观的人呢？我现在 25 岁，性格偏急，这个问题很困扰自己，请求潇洒姐指点！

**潇洒姐：**我曾经一直希望训练自己成为一个理智客观的人，因为感觉那样又酷又搞得定，冷静旁观，微微一笑，冰冷绝情。

因此，在那么几年时间里，我会努力地去学习理智客观的样子，比如说动手前再想一想、张嘴前慢点儿说、隔一天再决定等等。这些方法好像是有用的，它们会让一些事冷下来，但是，那些真正滚烫的事，能燃烧着你的事，都会让你的理智客观显得微不足道。

显然，每一次能指引我往前冲、争取和战斗的，都不是理智客观，都是叫作热血的东西。热血扬起了风帆，让一艘船前行并坚定了方向，理智客观则负责拿起望远镜和洋流图，分析那些合理性和危险。所以，不是说理智客观不重要，这些技能和态度很重要，但它们不是你的目的，并不能让你走得远。

相对于你的前方灯塔，它们只是手段。如果仅仅徘徊于手段，就有短浅和狭隘的危险。人类的一切理性都是为感性服务的——好像是雨果的观点。反正就是这个意思。

性格急，先要练的是沉住气。因为到达灯塔不是一天两天的事，可以急，但应该默默急，就是说着急努力很必要，只要你不嚷嚷，没有人拦着你。然后你还可以默默地去琢磨理智客观这件事：我理智吗？我的天赋、能力和时间足够支撑到达这个目标吗？我客观吗？我在人群中是什么位置？我擅长什么，如何发扬？我的短板是什么，如何补齐？

你有方向，又默默着急努力，追求理智客观分析，又年轻，真是太赞了，五年后，或十年后不做出点儿成绩都难呢。

# 45
# 格 局

**佚名：**如何扩大格局？有没有技术贴，一步一步做，可以得到改善的方法？谢谢！

**潇洒姐：**我前几年听人家讲“孙子兵法”的课，第一次注意到“格局”这个大词，后来发现很多企业界人士常常使用，一般和“量级”“眼界”“平台”组团出现。也就是说，**无论“格局”以前是什么定义，现在多半指赚多少钱、干多大事——钱必须多，事必须大，否则就配不上“格局”这俩字。**

在“孙子兵法”课上，老师讲了一个有关“格局”的观点。大概是说，我们都知道杀人犯法，杀人不人道。在人类历史上，有人为偷东西杀了人，大家都说他谋财害命，但有人为了大志向、为时代和国家一片一片地杀人，就是英雄。同样是杀人，为什么后者是英雄？因为他格局大啊。我当时都听愣了。

老师又举了一个例子，说一个创始人做企业做到很大，如果他需要做到更大，就要重新梳理高层队伍，让胜任未来挑战的成员掌握更大权限，于是他恩断义绝地请走了最初共同创业的同伴。狡兔死，走狗烹，江山社稷重于忠臣。

老师说这就是格局，就是将才与帅才的区别，为了伟业雄心要有杀伐决断之气势。当时我就很气馁，觉得这辈子配不上“格局”了。

但是如果按“格局”在《周易》中的“八字格局”来说，无论大小高下，每个人都是有格局的。比如有人算出我八字入“紫微破军”格，说这里面有很多优点和弊端，我会有怎样的现在、怎样的未来，如果想有更好的未来，我应该如何如何等等。八字命理我不懂，但如果转化成我熟悉的词汇去理解，我觉得说的还是三个方面：你是什么人，你想成为什么人，你能成为什么人。先关照自身，再敢想，又敢做，然后就敢实现，好像也没有什么高深的逻辑。

格局就是志向高远，然后为了实现志向能忍、能扛、能放下。那些配得上大格局的人，是真的志向高远，而不是说说就算了。因为一提格局，必须至少是看出去五年，甚至十年，甚至百年；必须是福祉给到一群人、一代人，甚至全人类。百年也是从五年过渡来的，全人类也总得从一群人开始，那五年和一群人就是第一步——嗯，五年和一群人，就是我和趁早现在的格局；十年和一代人是我们的想象力和野心，也许是第二步。

这一切的前提是狂野的想象力，想象力不存在技术贴，如果你也想让格局进步，可以与我与趁早与认同趁早的很多人一起，五年十年地走下去。

# 46
# 最 糗

**movie：**某个周六在健身房遭遇了人生最糗的事，丢人指数贼高！（啊，懊悔的号叫！没脸再去了！）潇洒姐，您做过最糗的事是什么，怎么化解心里那种百爪挠心的感觉？

**潇洒姐：**你唤起了我可怕的回忆。应该是 2006 年或者 2007 年夏天，我承接了一个活动项目，每天都去搭建现场，非常忙碌。

有一天我收工后回到家洗澡，快快地脱衣服，把专门穿去搭建现场的工装七分裤和内裤一起脱了下来，高高兴兴地洗了一个澡。

第二天早上我一看表发现起晚了，匆忙就套上昨天脱下的工装七分裤出了门。是的，昨天的内裤还在七分裤里面，我也一并套上了，然后展开了一天的勤奋工作，浑然不觉。

我在搭建现场到处奔走，和甲方客户、场地负责人、音响工程师等都面对面谈了话。到快收工的时候，你猜怎样？

——可怕的分割线——

我猛一低头发现，昨天脱下的内裤从我的七分裤右边裤腿中掉落出来一半，我当时就疯了！！我不知道内裤是什么时候掉落出来的，我也不知道这样带着我的内裤在全场行走了多久，我更不知道甲方客户、场地负责人、音响工程师等一票人都有谁看到了。他们会怎么想啊，我好想去死！！

这就是我记事以来最糗最糗的事。还能怎么办，当没发生还是得活着呗。唯一值得安慰的是，那是一条精美的小黑蕾丝内裤。

*Part 3*

# 为何不做少数派
## ——关于抉择

## 47
## 关于职业选择

**葛羊羊：**我是大学生，对职业选择比较迷茫，究竟应该以什么为标准？自己擅长的？梦想？感兴趣的？赚钱的？

**潇洒姐：**如果你的生存有问题或者你亟待经济独立，先解决眼下的生存问题，找一份以能解决温饱为标准的工作。但尽量别让这份工作距离你的能力及理想未来方向相差太远，这样有助于简历漂亮和积累有效经验。

如果你的生存温饱甚至生活质量都不算问题，那么应该优先考虑擅长的范围。擅长意味着你的天赋所在和投入过的时间，如果你的擅长超过行业同龄人平均水平，那就非常有利于你在职业生涯开端增强信心和挤上上升通道。

如果不巧，你的擅长和你的兴趣毫不相干，如果你很想以兴趣作为安身立命的条件，那么你的兴趣依然需要到达擅长的水准，即超过行业同龄人平均水平，否则四处碰壁的概率会很大。兴趣和能力没有正比关系。生活告诉我们，兴趣能提供的激情常常禁不住考验。

如果你的兴趣已经到达了“挚爱”“为 ×× 而生”的程度，但这兴趣暂时又无法使别人承认你是精通级的专家，你可以在工作时间之外先自我培养一段时间。如果你认为一旦工作了就没有时间培养兴趣，则证明兴趣其实还不算“挚爱”。

我个人认为，如果你的兴趣无法负担你的生活，但你决定坚持它，让父母、恋人甚至伴侣负担你的开销的话，上限是三年（按一天努力 8 小时计算）。已经是移动互联网时代了，没有怀才不遇这回事。

如果你是天才，则忽略以上所说。

最后，把梦想和赚钱分开来问有点儿图样图森破（too young，too simple 的音译，意为：太年轻，很傻很天真），**只要在这世间活着，有肉身和家人，有眷恋和更美好的期待，梦想几乎都要包含赚钱，赚钱是实现梦想的重要工具和重要阶梯。**

# 48
# 事 业 与 家 庭

**3 yukin：**有的人说，女人要有自己的事业，工作辛苦一点也可以。有的人说，女人还是要照顾家庭，有一份悠闲稳定的工作就可以了。到底应该怎么看？

**潇洒姐：**我们先来定义事业。一说事业，人们就觉得必须是什么大事，其实无论是为国家、企业、群体工作，还是个人创业，都有机会叫作事业。

一份工作可不可以叫作事业，对每个人来说，是很主观的。如果这份工作能让你自发持续地投入情感、时间和精力，工作过程能让你感到充实和存在，收获成果的时候志得意满，看到同事有如风雨同舟的战友（这条很重要），那这就是事业了。那就好好体会那种全情投入时燃耗生命在所不辞的感觉吧。

为什么没提到收入，因为这样的工作带给人自我提升、创造价值的喜悦，很多时候甚至超过了收入带给人的喜悦。

所以，人活一回，无论男女，在社会价值方面和自我认知方面的高点都应该是有一份事业。

我们再来定义辛苦。我认为大部分时候觉得的辛苦，是因为觉得付出不值而心里苦。**当一份工作能给你事业的感觉，你甚至愿意用三份辛苦来换。相比之下，“一份悠闲稳定的工作”很明显是对自身可能性和创造力放弃之后的选择，应该是最后的选择。**就这行字，都让人感觉到窒息和枯竭呢。

无论男女，照顾家庭、照顾亲人的最好方法应该是：工作时投入高效，留出更多时间陪伴他们;让家人看到一个发光的你;你越强大，就越能罩住你全家。

## 49
## 为何不做少数派

**彦儿：**潇洒姐听到过“这个行业对女人来讲太累”这样的评价吗？如果是自己兴趣所在，有热情坚持，您怎么看？潇洒姐在事业与个人匹配度上有自己的标准吗？

**潇洒姐：**听到任何一个描述大多数的判断时，在听信之前，应该先练习独立思考。人与人的差异很大，大到没有任何一个论断可以规定你。

比如，我听到过许多“女人创业太累”这样的评价。的确，**创业这种生活方式中的工作强度和心理压力可能比多数工作都要大。能够承担这样状态的人的确是少数派，但你可以是少数派。**

我们深度怀疑这个评价含有“女性应该如何如何”的潜台词。

女性除去生育属性和体能弱势以外，在这个不以武力拼杀的时代，壁垒已越来越少。做选择前，出发点首先应该是“我作为一个人”是不是有能力、靠谱、有担当，如果出发点放在“我是一个女人”上，那么很有可能给自己能不能得到款待、找到依托、受到呵护的暗示。这个暗示会将许多本来理想的工作归类到“累”的行列里去。

如果年轻的时候就找到了兴趣和热情所在，是很幸运的事；工作不是为了轻松，而是为了创造价值，哪怕累，但有价值就是值得的。

## 50 灵魂和肉体，至少有一个在课堂上

**喃喃：**潇洒姐，您认为在大学里，是学习知识重要，还是旷课进行实践重要？

**潇洒姐：**“学习知识”是一个广义的概念，毫无疑问永远重要。我们要搞清楚的是，“上课点名”并不等同于“学习知识”。

上大学有几个作用：学习知识，用以作为未来生存的储备；拿到学位，用以作为未来准入的敲门砖；融入群体，拥有一个基础和质朴的社交圈。

这么看的话，“上课点名”直接产出的并不是“学习知识”，而是“拿到学位”。学位很重要（至少很多爹妈和看简历的公司都这么认为），所以那些有可能影响拿学位的课，不能旷。

我从本科毕业后，才理解到课堂里未必能学到有效的知识，学知识也未必只能在课堂上才行。但是我当时是没有分辨能力的。好几年以后，我会在某一个场合惊觉当年的一个知识点是多么的有效，某某老师是多么的睿智，庆幸当初曾上了那门课，但反过来，我无法判断和挑选究竟是哪些课会积攒给我

的未来。

那么，那些空洞的课和水平有限的老师是否浪费了我的时间呢？我觉得是的。如果现在可以选，我宁可旷课，用那些课的时间来实践。

所以，如果你有能力分辨那些一定会误人子弟、浪费生命的课，又能把旷课对学位的危害控制在一定范围内，当然可以旷课用来实践，还可以旷课去做一切丰富生活的事。不过我那个时候没有这么做，我都是在空洞乏味的课上看自己喜欢的书，灵魂和肉体，至少有一个在课堂上，哈哈。

## 51
## 奔 跑 的 兔 子

**热姜糖：**我今年 20 岁，我很希望您告诉我，在您的 20 岁和 35 岁之间，最好的黄金时代是哪段？我每一段最应该做的是什么事？

**潇洒姐：**回顾已经过去的那些年，对比每个时期的状态，对我来说，只有 25 岁和 30 岁这两个时间段，可以称得上黄金时代。

为什么没有老生常谈青春真好的 20 岁呐？ 20 岁前后虽然年轻，但由于见识和物质的匮乏，感受到的大多是穷与蠢的苦，青春有多好，完全是他人的评价，自己感觉不到。没有兑换的条件，没有说“不”的资格，时间全用来等待和迷惑。20 岁的我，很像一只弱小的兔子困在有雾的灌木丛里，看不清周围，没有方向，只隐约知道自己的天性好像是可以奔跑的。

不过，我说的只是我的当时，几乎没有互联网的时代，你可以把我想象成史前的兔子。现在 20 岁的你，如果是一只兔子，这只兔子的前后左右都是屏幕啊。

25 岁的好，在于我自知拥有年轻，改善了许多穷与蠢之后，开始跑出灌木丛玩耍了。我成为一只矫健的小兔，开始试探地去和小鹿、小狮子与小狼玩耍，观察它们的生存和捕食。现在回忆，那几年很有点儿一切正好的感觉，精力充沛，未来还长。我以为我会永远年轻，永远兴致勃勃。

然后就到了 30 岁，就是我写下《写在三十岁到来这一天》那年。当我通过各种方法确认了自己的天性之后，开始安静下来了。挺神奇的，在那一年，我一个一个瞬间地想清了好多事，心智开始有通透感。25 岁的黄金感在于“不需要知道”也快乐，30 岁的黄金感在于因为“终于知道了”而快乐。一个是放，一个是收，不一样。

我真的很怀念我的 25 岁。

可是，我真的没能力告诉你，你每一段“最应该”做的事是什么。只有目标既定，才有“最应该”和“不应该”一说。你有了目标，自然知道。问题就在“目标”这里，它一定不是因为人们都这样，你爸妈要这样，你好像只能这样而制定的；它一定是为了让你觉得更有趣、更满足而设立的，一定是人生大愿望的倒推。**你只能从你未来想干吗，想成为什么样子，来倒推你今天应该干吗，就是这样。**

# 52
# Zuo 与 Die

**WENWEN：**请问潇洒姐，都说 No zuo no die（不作死就不会死），可是如果 zuo 的是自己的好朋友，眼睁睁看着她再 zuo 下去八成是个 die，要不要拦着，要不要劝，要不要明知有友尽的危险，也去拉一把？

**潇洒姐：**首先，咱得尊重各种活法儿，咱不能预设自己代表了光明、正确，全知全能，避免拿自己认为对的标准体系套在别人身上，更避免指指点点。

我在这件事上有过教训，曾经试图拦着一个姑娘嫁给低能男直至友尽。事实证明，价值观决定选择，选择决定命运，很多事情的发生发展一上来就被规定好了，那姑娘就是会选择低能男，我就是会拦着，然后就是会友尽。倒推起来依然起始于价值观的分野。去拦一件具体的事，并不能改写价值观。人物的命运早已被自己锁定。

也就是说，我们体系里的 zuo，可能是人家体系里的正常活法，即使是再亲密的好朋友，也会走上各自选择的道路，并且在里面体验到彼此无法理解的乐与痛。那些体验都非常私人，他 / 她选择，必有他 / 她选择的道理，不放手，必有不放手的苦衷。相对于这份私人体验，你始终是外人，外人就是那些说几句体恤话，拍拍肩膀散去的人们。无论 zuo 与 die，都是独特的人生。

有过教训的我现在遇到此类情况，我会先说：如果我是你，我会这么办。然后我又说：但是我不是你。做到充分表达，仁至义尽。再说，年轻就在于 zuo 与 die 的跌宕感，体验过 zuo 与 die 才是完整人生，真想 zuo 任谁拦也拦不住。除非朋友的境况有接近真 die 的可能——如果他 / 她有可能触犯法律，伤害健康及生命，那当然要出手，无论是金钱、时间和陪伴，给他 / 她你能给的帮助，这是真朋友的担当。

我想起很多年前，一个颇有魅力的江湖大哥约我烛光晚餐，被我一个闺密也是该大哥的朋友拦下，非不让我去吃，说万一我有了爱的火花，苦的是我，万一他有了爱的火花，苦的还是我。反正是没吃成。至今我都埋怨她，我那么年轻，来点儿故事也好，怕啥火花啊？

总之，你作为朋友在这种事上只能担心，看着她 zuo，等她快 die 了再抱抱她。

## 53
## 不 敢 想 象 的 全 程

**cigar：**潇洒姐，在实力还不够的时候遇到了机遇怎么办？

**潇洒姐：**当你清楚地知道机遇来临，同时又清楚地知道自己实力不够的时候，就是你超越性进步的开始！太多人因为觉察不到机遇的来临，又估计不出自己真实的水平而错失良机。擦亮眼的人，才能大步前进。

机遇当前，能退能进的时候，一定选择进，即使对自己的实力估算不清；实力究竟如何，只有试炼才能知道，况且又可以在试炼中快速增强实力。即使失败，我们也要印证过的失败，而不是猜想。

无论做过多么充足的准备，都无法保障在考验中一定过关、各项实力全部达标，因此实力不够是常态。人们通常用恶补和寻找外力帮助来迅速补齐短板。还有一种可能就是压力下的飞跃，你的能力和眼界都会因为机遇的逼迫在短时间内被推动到一个前所未有的高度，潜能的激发和自己的重新认识会在这个时期出现。多接受机遇的挑战，为自己找寻体验这种状态的可能性。**一个初学游泳的人会因为远方的一座灯塔，在逆流的方向里游完**

**之前不敢想象的全程。**

还有就是，我觉得自己在 20 岁到 30 岁之间有个致命的错误，就是天真地以为机遇会一直来，放弃这个还可以等下一个。事实证明，真正的机遇就那么几次，好的机遇与你的勇敢环环相扣彼此催生，当你轻易放掉一个旧的机遇，新的很可能永不再来。

## 54
## 在工作中忘记性别

**贝贝酱：**潇洒姐我想请问您，该做女强人还是强女人，又如何成为男人心里喜欢的强女人？

**潇洒姐：**“女的强人”和“强的女人”更像是一个矫情的文字游戏，探讨两者的区别，意思不大。真要分析的话，应该做“女的强人”会好些，因为以“强”作为直接定语修饰人，说明了强是第一要素和本质。

当我们说一个人强的时候，这个强通常代表：有主见、敢于决策、有权力、有威严、有资源、渊博、赚得多。如果这是强的话，毋庸置疑每个人都在追求强。那些追求得比较有效的人就被称为“强人”，如果恰好是女的，则被叫作“女强人”。恰好是女的，意味着强者本身，并没有性别标识。所以我认为，如果有可能，都应该做女强人，谁不希望德高望重说话掷地有声还赚得多啊？

至于强女人，是先强调了性别特征，用“女”来做人的直接定语。从这一点来看，还没强的时候，就用性别为自己设了壁垒，强起来就更难啦。

关于男人喜欢什么显而易见，强不强先放一边，只要漂亮，他们就先喜欢起来了。不过，但凡走上处心积虑研究“如何成为男人心里喜欢的”道路，可就危险了。强人都不是为了迎合他人爱好生长的，有时间不如研究“如何成为自己心里喜欢的自己”更直接有效好操作。我觉得，有能力有担当又自信的男性会喜欢这样的女人——在工作中忘记性别，在生活中把它想起来。

## 55
## 没有如果

**hucantry：**潇洒姐有没有后悔过？在某天回想起来，突然发现当初没有做正确的选择，也许是错过了某个做事业的机会，也许是某个人，心中不免五味杂陈。潇洒姐觉得应该如何处理呢？

**潇洒姐：**这样说来，我可能错过了很多，幼儿园错过了发展天性，小学错过了锻炼身体，中学错过了努力拼搏，大学错过了实习捷径。再后来的择业和创业甚至婚恋，天知道我错过了什么。

但每一次，我都只能在某件小而具体的事情之后感到后悔或惋惜，比如会想想"如果我那样说那样做就好了"，至于那些大的决定和发生，我其实并不知道从何后悔，因为我永远无法知道，如果我不做这个决定，一切会是什么样子。更好或是更坏，都只是我的臆想罢了。

由于做决定的是你而不是别人，由于做决定时的环境和条件既定，所有你做的决定其实都是在那个历史时期的环境里，那个阶段的你所能做的最利己的选择。即使事后看起来短视狭隘和不周全，那也是当时的格局下能做的最好选择。所以一切就是这样，没有如果。

想通了这个，也就没有什么好后悔的了，有的只是后知后觉和提醒自己不要再重蹈覆辙。**与其后悔，不如总结那些特别正确的选择如何产生，然后在未来复制它们。**

PS：我在已出版的书《女人明白要趁早之三观易碎》中有一篇文章《后悔药》专门写了这个话题，可以阅读。

## 56
## 女 性 的 一 切 问 题

**龙猫人之迷：**独立女性的经济收入、朋友关系、家庭关系等有什么特征呢？是否一定要和男性做到完全对等？

**潇洒姐：**这个话题很宏大。我建议每一个女性都应该去搜索一下“女性主义者”这个词，有时间更要做一下拓展阅读，了解一下几百年来女性在经济、婚姻、地位、话语权上都做过怎样的思考和抗争。我们的思考和见解，应该站在前人的肩膀之上。

无论是否认真思考过，如果你想做一个独立女性，潜意识里已经是一个女性主义者了。关于女性主义者的观点和流派很多，其中有的观点依然非常适用于当下。

女性主义的观念基础是，认为现时的社会建立于以男性为中心的父权体系之上。（这是事实）

自由女性主义认为：自由主义崇尚理性，主张人之为人是因为具有推理能力，所有人在接受教育以后都具备同等的理性，故应平等对待。（理性并不同等）

人性不分性别，女人亦具有理性思辨能力，男女不平等是习俗以及两性差别教育造成的，为了消弭人为不平等，应给予女性同质的教育。（赞）

同时由于在兴趣、才能方面个人差异远大于性别差异，女性应有充分和平等的机会做选择，以便人尽其才，为社会提供更充沛的人力资源，提高竞争力。“先做人，再做男人或女人”“人尽其才”。（大赞）

女性不仅应该有法律地位和世俗生活的权利，更有追求内在自由的权利，即包括心灵的充实、智识的成长、理性与创造力的激发。（赞）

母职是女性生活的一部分而不是全部，女性可以超越特定的家庭关系去追求自我成长。而且特别需要指出，女性的自我成长不是为了做一个称职的妻子或母亲，而是为了自我实现。（赞到不行）

女性应有一技之长与经济独立的能力，这样才不会为了长期饭票而无奈地走进婚姻。从自由竞争的观点看，女性的能力如果真的不如男性，那么不胜任的女性就会在竞争过程中被淘汰，不需要一开始就排除女性竞争的机会。开放机会给女性会给社会带来更多优秀的人才，使社会的运作更有效率。（打滚赞）

没有永恒固定的女性气质或女人的宿命。透过诚实面对自我与处境，勇敢地做抉择，努力改变处境，女人仍然可以重新定义自己的存在，进而全面参与塑造过去一直由男人所塑造的世界。（读到这里，简直可以深吸一口气坚毅地望向远方了）

以上逐条，可回答身为女性的一切问题。

## 57
# 家 庭 财 政 管 理

**Veronica：**潇洒姐，您的家庭财政是如何管理的，一方管理，还是AA？即将走入婚姻，我对这个问题没有找到合理可行的方案。

**潇洒姐：**我家实行的应该算是宏观共同管理、微观自治的政策。每年年初，我和叶先生都会坐在电脑前，共同更新和填写一个年度家庭财务收支表。这个表包括双方全年的预计收入，重点是在未来一年中会产生的各项可预期支出，包括房屋、饮食、穿戴、旅游、教育、汽车、医疗、娱乐、社交、宠物、育儿、保姆等一切消费。此外，还有投资的比例和方向。在填写时，我们也会完成对新一年各项支出合理性的讨论。这个讨论非常必要，可以看作是一个对家庭生活方式和生活质量的理性认同过程。

事实证明，表格做好之后，每一年我们的预期几乎都与计划一致，在合理范围里浮动，不会产生冲动消费和合理性之外的大笔支出。

我们互相收入透明，各账号密码透明，但各自管理，就是说谁也不向谁缴纳收入。通常叶先生负责家庭日常支出部分，我负责我自己。也就是叶先生养家，而我绝大部分的吃穿用度——化妆品、包、衣服和请人吃饭等是我自己负责。

当需要车、房消费或投资等大笔支出时，我们会根据各自账户情况共同负担。比如购买第一套房产时，我们共同出资并按五五比例公证了该房产的所有权。

该套政策建立在彼此信任消费习惯的基础上，目前在我家比较行之有效，供你参考。

## 58
## 为了遇见他

**Mermaid：**潇洒姐，说说单身大龄女青年的烦恼吧。您好像是 29 岁才遇到叶先生的吧？在这之前有没有动摇过，觉得不会遇到能相守一生的人了？或者打算屈从生活找个一起过日子而非自己真正喜欢的人？

**潇洒姐答：**我在 28 岁认识的叶先生。在那之前，大概是 27 岁那年，我曾产生了两方面的自我怀疑：一方面是，是否真的会有人爱慕我这样的性格与类型；另一方面是，就算是有，会不会概率极低，我和这个人是否有彼此遇见的可能。

我还记得 2006 年冬天的一个傍晚，开车回到中国人民大学。当时我对自己的认知和对感情生活的希望降到了最低点，难过得连车门都推不开，只好趴在方向盘上哭了一场。周围走过三三两两去上自习和下课的同学。

哭了一阵，我觉得好了一些，突然看到车里很乱，就开始收拾车里的杂物。收拾的过程中我在想：什么样的人有可能与我互相爱慕？为了遇见他，我应该做些什么？如果没遇见，我应该为独自长期生活做什么样的准备？

再后来的行动，都是以上三个问题的回答。我努力变得更漂亮，增加出席率，开始创业，也许都是某种遇到叶先生之前的铺垫。

当时,在整个思考过程中,我只想到了“真心爱慕”而不是“相守一生”和“过日子”，更从未想过“屈从生活”。向前走，最好是寻找和等待有结果，最差是有能力自己过一种丰富的生活，但肯定不要姑且的屈从生活。

找个不是真正喜欢的人“过日子”只是生存层面的需求，是最低级的模式，是认输认命，是心死的开始。

## 59
## 坚 持 与 放 弃

**油炸电风扇：**潇洒姐，当我在一件事上已经投入很大精力之后如果发现自己并没有完全的胜算，我如何判断自己现在的情况？当胜算多小的时候我应该选择放弃？

**潇洒姐：**几乎没有什么事情是有完全胜算的。现存的一切公司都有在一年内破产的可能，现存的一切关系都有在三个月内崩塌的可能，所以我们人类活着本身就是一件必须投入很大精力的事，没有什么事是真能不动脑子省心的。反正无论干吗，先接受这个凡事都难争取不恒定费脑子的事实，接受了就都好说。

有人问要是不接受怎么办？不接受就意味着不作为，不作为一切就会变得更难争取、更不恒定、更费脑子。

关于放弃的决断，是最难的人生决策之一。当初，我都是熬到绝望再放弃；再后来，我慢慢开始能够在绝望前选择放弃了。但**真正的绝望容易辨认，折磨我们的往往是那残存的一点点希望，好像有，又好像没有**。有无数鸡汤、成功学说要坚持，还说放弃该放弃的、坚持该坚持的，这不是废话吗，跟没说一样。

对人和对事的坚持和放弃是有区别的：
要是人，就认知和感情重建来说，爱情难，友情、亲情与合作易。前者靠化学和不可言说的东西支撑，有就有；后三者靠沟通可以更新认知，可以再争取。婚姻三成算爱情，七成算亲情，按这个结构把握。但前提是价值观，做人如果道不同，怎么建设都没用，貌合神离的关系没有价值。

要是事，全看自身的风险偏好。你的资金能支撑多久，你的信心能支撑多久，别人不知道，但你自己知道。常人一般能坚持到健康受损、亲友忧心、完全洗牌重来的边缘。突破边缘而后事成的也大有人在，这些人在事成之前就呈现出不同于常人的观念、意志和技能。

祝你在选择和放弃间体会到乐趣，祝我们虽然偶尔纠结于具体事件，但早已爱上整个充满痛苦和快乐的漫长人生。

## 60 不靠谱分级评分系统

**艳子 cici：**潇洒姐，在您心中不靠谱儿的人都有哪些行为？比如选择结婚对象，哪些是原则性的，哪些是可以忽略的？关于不靠谱儿，您有哪些理解？

**潇洒姐：**本来我想分为做事不靠谱和结婚对象不靠谱这两种情况来说，可后来一想，还不就是一种，不靠谱都是相通的。现在，我试着将经历过的不靠谱按有害程度从低到高分级描述。

1. 愿景描述得挺好，但能力差得远，画了一个大饼，却不知道面粉在哪儿。

这是最可容忍的不靠谱，因为你我的成长期也大多这样。重点要看后面的态度和行动，是不是逐渐意识到并开始去寻找面粉与积累条件。如果一意孤行无所作为，则沦为深度不靠谱。

**不靠谱程度：1 星**

2. 开始说得特热闹，挽起袖子、张开怀抱、充满壮志，一碰到挫折就转向、就怀疑，坚持不下来就埋怨环境、埋怨他人。

有方向、有最初的行动，这算不错了，后面是否有韧性和耐力特别重要。依赖外力和运气，如果运气好，周围人给力也能走一段。但是周围人感觉特累，好不容易决定跟他一起走了，他又转向了你受得了吗？

**不靠谱程度：2 星**

3. 性情不稳定，全看心情。心情好的时候事办得好，但一转脸就不是他了。而且这种人心情没依据，别人基本靠猜，向他输入 A，得到 B、C、D、E、F 都有可能。

赶快离开此种人，干啥啥不成，伴君如伴虎，只会折磨你的耐性 。尤其注意一点，他好的时候可能如同天使，结果你为了等待他下一次的天使行为出现会付出三倍魔鬼的时间。最闹心的是，他还不是故意的，他就是这样——行为情绪导向，却没有控制情绪的能力。

**不靠谱程度：3 星**

4. 没诚信但认为自己有，没契约精神但认为自己有充分理由，出尔反尔、振振有词。

通常，这样的人定目标、踏实做事都没问题，但比较短视，着急眼下的一杯羹，以后再说以后；他内心独白是：都是应该的，都是你们欠我的。大家都自私，但未免他也自私得太明显了。你也许暂时需要他，但他不可能跟你走到最后，当然，本来人家也没打算陪你走到最后。

**不靠谱程度：4 星**

5. 假面演技派，戏好、逼真、持久、投入。你以为你遇到了真爱天使、灵魂至交，你捧出了滚烫心脏和身家性命。等到难以置信、如梦方醒时，对你的打击会非常致命。

他可以一直演下去，除非他自己懒得再演实在绷不住，或者你善于梳理蛛丝马迹。他不只是演给你看，这类表演性人格会习惯性演给所有人看，只不过越有所图，就演得越卖力。识破点在于，他一定会要回报，各种形式的，他的狰狞会在回报低于预期的时候暴露出来。

**不靠谱程度：5 星**

## 61
## 命运之选

**20天：**潇洒姐，请回答微博上出现的这个奇特问题。神出现了，让你在两种命运中选择：一是你拥有吴彦祖的身材和长相，但只是一名普通的蓝领；二是你相貌平庸，矮个子、啤酒肚，却是一家巨头企业的总裁。选一还是选二？

**潇洒姐：**虽然问题奇特，我认为依然可以通过这个问题来进行思考训练，并发现每个人的价值观优先级。

这个问题的前提应该是在命运不可改变的前提下。也就是说，即使貌如吴彦祖，也并没有改变命运。当然我们可以争论说：难道又以世俗成功论英雄吗？长得帅即使没有功成名就，但是生活稳定、家庭幸福，难道不是很好吗？我觉得这个问题的重点应该是：两种命运都有一方面严重而无法改变的缺陷，且这两种人都感觉到了这个缺陷带来的悲伤与遗憾。你选哪种？

我就直接回答吧，**如果智美不能双全，我肯定选智，以及用智得来的财富、尊严和自我实现。**

大帅哥也会老，老了以后没有了容貌又没有了人生好像更凄惨；还有，我深度怀疑，这个命运里的人如果帅成这样都没改变命运，那智慧水准得差老远啊。没有智慧在闪光，空有五官比例，那这人就没有真正的魅力，也得不到灵魂的真爱。我不要选他。

那让咱们再直白点儿，帅又穷，但穷都是自己作的；丑又富，富都是自己挣的，你选谁？

我还选后者。

## 62
## 允 许 我 去 考 验 我

**酸山楂：**潇洒姐，您成长中有和父母之命抗争胜利的事例吗？就是父母替你选择或建议的，你认为不对，走了自己的路事后发现做对了。

**潇洒姐：**整个成长过程中，我抗争过不少东西，有父母的意志、师长的劝导、同伴的对比、自己的质疑。通常，父母的意志代表着亲情裹挟的主流价值观和多数人寻求安稳的心态，这未必不对，因为这未必不适合你，对与错都要放在具体的人身上才能衡量。

我自己的叛逆期很长，好像从青春期一直持续到现在，就是不愿意受任何人的管控，只想自己决定几点起床和去哪儿，其实这是明显的少年抗争家庭权威的心理，是对严苛管制的反弹，说好听些是对自由的渴望。

在我少年时代父母希望我勤奋努力，我 25 岁以后，发现父母对我的期待模糊了，因为学生时代的“好”是可以清晰测量的，而成年后的“好”表现形式太过于多样，如果我表现出富足与快乐，父母就感到满意了。直到我 33 岁，我的妈妈才郑重地告诉我，她认为我之前的诸多人生选择都对，因为她看到我变得自如和高兴。

归根结底，父母不是对某种人生道路的偏好，而是想看到你的富足与快乐，于是他们会指出在他们的经验和视野里，离富足与快乐最近的一条路。但你需要用比较长的时间才能论证你的选择，这个过程可能是漫长和煎熬的。我觉得“报喜不报忧”是一个好办法，展现你的坚定和主见也是好办法。否则你一犹豫，父母就会再次替你选择。最好的方法还是你要不懈地去了解自己，分析你拥有的天性、天赋和环境，这才是选择的依据。

至于已经遵从了他人选择而背离了自己意志的情况好像非常多。我看到好多类似的问题：“我爸妈希望我 ××，但我不喜欢”“我老公要求我 ××，否则导致家庭矛盾”“家里人给安排了 ××，我其实想做的是 ××”。这些都强调自己的生活不是自己的选择。虽然我明白你说的，并同情某些无奈，但还是得指出你有选择过，你选择了接受。

## 63
## 十 年 不 晚

**橘子妹：**潇洒姐，您被人在背后说过坏话吗，而且是被冤枉的那种？您会怎么应对？

**潇洒姐：**当坏话能传回你这里，就不知道它已经在路上走了多久了，也无法知道另有多少坏话已飘散在风中。如果真要做点什么去应对，那你根本无法知道你的敌人都是谁，有多少，在何处。

我16岁上高一的时候是班长，那年的11月3日是我生日，和几个同学去饭馆吃饭。其中几个高中男生，试图以吸烟、喝酒来彰显帅气和成熟，我没制止。但我们都不知道有一个女生尾随我们，在饭馆门口观察到了这一切。那天午饭后，我走到校门口就被教导主任拦下了，直接被请进校长室。校长说："学校给了你多少荣誉，你太令人失望了！"那天下午我一直被关在校长室反思自己的错误，吸烟、喝酒的男生们都获得严重警告处分。我由于渎职获得口头警告处分，被撤职。

我一直都知道是谁去校长室举报了我。

更惨的是，那天，当我在校长室反思的时候，她先回到了教室，告诉同学是我在校长室告发了他们吸烟、喝酒。于是，我在 16 岁那年，有三个月，全班同学没有一个人肯和我说话。我成了一个坏人。

漫长的三个月里，我除了好好学习，就是思考她为什么要这样对我，我要怎么报复她。由于没人理我，学习容易专注，我在下一次考试考进了年级前十名，我上去领奖状的时候扫视全班同学，他们中有几个人给我鼓了掌。大家慢慢忘了这事，又成了我的好同学。我又开始和大家一起玩，欢笑说话，包括她。跟她说话的时候我一直盯着她的眼睛，并且在想我应该怎么办。后来，我就高中毕业了。

有趣的是，整整十年后，在我 26 岁生日那天，我又遇见了她。那天我打扮得很漂亮，手里捧着大礼物盒子，站在我的车旁和人交谈的时候，她竟然刚好走过，我一秒钟就认出了她！虽然我假装没看见她，但我确认她很受震动，因为她走过去之后，又折返回来，从侧面打量我。

故事讲完了。我想过对峙、报仇、一个一个地游说我的同学让他们相信我。我想过一万种方法，让我度过 16 岁那些难熬的黑夜。可是那天之后，当我再次看见她的时候，我就知道，仇已经报了。

## 64
## 新 秩 序

**航小航：**我要去一个陌生的地方，那里都是陌生的人。陌生的环境，好与坏都未知，之前很期待，现在越来越怕，我想梳理思路，但由于几乎都是未知，又不知道从何开始梳理。

**潇洒姐：**小时候每一次面临新集体开学，相信大家都是一样的感觉。新的老师、同学、课本，你不知道班上有多少人比你聪明、比你好看，新开的课程你是否能掌握，新老师会不会喜欢你。然而你再担心，还是开学了，两周过后，全班人分出了左、中、右，你找到了最喜欢的小团体，老师依然不喜欢你，但你接受了。就这样过了几年，你毕业了，一切又被打破。

成长时期谈过的每一次恋爱，都是从试探、忐忑开始，你一开始不会知道对方爱吃的东西、口头语，不会知道他微笑后面的含义，不会知道他生气的时候是爆发还是沉默。之后慢慢地，你们会磨合出一种新的语言系统和生活习惯。但后来你们还是分手了。你又遇到了另一个人，不得不重新开始。

混乱是建立新秩序的开始。只要往前走，我们总会遇见新的，越快拥抱它，它也会越用力地拥抱我们。混乱意味着机会，之前被定义、被评价的都将被抛弃，因为混乱，你才有机会猛进一格，洗清你不想要的痕迹。陌生的地方、陌生的人，多好啊，不是人人都有机会重新来过。拥抱机会，冲进混乱，建立你的新秩序。

## 65
## 什么最捉急

**木鱼君：**什么时候可以说说女孩是否适合考研？担心年龄太大了怎么办？会不会影响婚姻？

**潇洒姐：**类似这样的问题很多，看了就让人捉急。

这是一个典型的“女孩是否适合 ×××”的问题，以女孩作为主语，然后 ××× 经常被替换成各种名目，比如“出国”“创业”等。我们必须随时随地再次强调，人与人个体的差别之大，早已超过性别与性别间的差别。你是男是女远远没有你究竟是怎样一个人重要。你擅长什么？乐趣在哪？对自己的期望在哪里？不解决这些基本问题，就算你处理好了眼前的一件事，永远有其他的事排队等你。

记住，无论是考研还是结婚，它们都是为了完成一件事——你这辈子想要成为一个怎样的你。

下面，咱们试试分析一下具体问题。首先，人为什么想考研。第一是对知识的追求，真想做学问继续进修。第二是为了攀登社会阶梯以至于在更好的平台上找到工作和伴侣。以你的问题来看，你不可能是第一种，因为如果真能到达追求知识的境界，这就不是一个选择题了。

就第二点来说，考研当然不是攀登社会阶梯和上到更好平台的必选道路，还有其他道路，比如工作实战经验与成绩、相关个人社会影响力、环境与人脉基础等。通常来说，当其他条件不具备时，考研这个选择才会被提上日程。如果真把考研当作加分项，那也必须是“牛校”才有用。因此结论是，如果其他道路暂无，则可以考虑考研，但必须瞄准“牛校”。

再来说年龄大的问题。真的，对此我只有“呵呵”二字可以表达。如果你信我，我可以告诉你，**无论你在什么年龄，如果具备性格、能力加美丽，横扫一切年龄层。如果你不具备，那你多年轻也没啥用。**

关于婚姻问题，同上。

## 66
## 关 门 转 身

**采玲：**潇洒姐，在遇见一生的挚爱 Mr.Right 之前肯定会遇见一个或者几个 Mr.Wrong，您是怎么样发现及确定他是 Mr.Wrong 的？又是怎么样处理和他们的关系的？

**潇洒姐：**与 Mr.Right 相反的那一个或几个，不应该叫 Mr.Wrong，而应该叫 Mr.Left、MR.Up 或者 Mr.Down。多年以后，我发现他们都没有多么的 Wrong，只是相左，只是不是同一个纬度。大家都是优缺点参半的凡人，真正渣的是极少数。

你会发现他们犯的错是全人类的错，患得患失、易受诱惑、贪婪、暴躁、撒谎、懦弱、怀疑、挣扎。等我们走过了精彩饱满的一生，一定会原谅他们，像饱经风霜的老人去悲悯和理解一群年轻的男孩子一样。

他们代表世界的多样性，给了同样年轻而好奇的我们通往世界的另几扇门。而对于那时懵懂的我们来说，我们对门与门后的世界没有什么判断能力，等我们发现门口的世界不对的时候，门已经打开了。

错的人有很多种错法，最核心的一点是让你不再是你，或者有悖于让你成为理想的你。当你打开门，门后是北欧的风景，恬静、美丽，但你不想去，你真正想去的是阿拉斯加，凛冽、壮阔。无论多少人告诉你“北欧很美，你真傻”，你也只是关上门。北欧风景好没错，只是不适合你。好在你已经看过了，现在你可以去寻找通往阿拉斯加的门。北欧有的是姑娘想去呢。

当我们打开门，发现那里不是我们想象的样子，应该轻轻关门道别走开，而不是开着门叉腰痛骂，也不是摔门、踹门或者关上门后蹲下来在门口哭泣。现在这么说，是因为这些事我都做过，当我骂得哭得精疲力竭，最后还是得自己走开，哭得不好看，也耽误了时间。

轻轻关门道别走开后，风景会感谢那个游客，游客也会站在阿拉斯加冰川，祝福北欧游客如云。

## 67
## 哭是洗礼

**黄黄：**潇洒姐，您最难过的是什么时候？您在叶先生面前哭过吗？

**潇洒姐：**成年以后因为难过而哭的时候很有限，前几次好像都是因为感情受打击，一个人在深夜里、在电脑前、在开车的时候，某个瞬间突然就哭出来了。哭出来之前就是想来想去、憋着、不肯承认、不敢相信，哭完之后很快就好了很多。

现在回忆起来，哭很像是一种接受现状然后抛弃现状的仪式。尤其是一个人的哭，才最有效和真实。一个人哭的时候，总像有另一个我安安静静地坐在旁边看着自己，不安慰、不递纸巾，只是看着，等我哭完，我好像总在意识里跟她说我哭好了，我觉得我可以了，然后她起身走开，我继续赶路。

最近一次哭好像就是在 2014 年春天，但我已经完全忘了因为什么事，只记得我坐在客厅的沙发上，感觉到一阵苍凉就哭起来了。叶先生坐在不远处，对我的哭非常迷惑，尝试让我解释为什么哭。我说我想起来，这么多年来，其实我都是孤独地一个人在行走，未来其实也是孤独的一个人，当我想起来后感到巨大的苍凉和寂寞，就哭了。叶先生说，怎么会呢，你周围有一切。我说，不是的，我看见的世界是我和我脚下的道路，而其他都是夹道围观的部分。

其实，我周围的创业者，无论男女，这种孤独感非常普遍。我以为我早已能够接受和享受独自上路的寂寞与胸襟，但这一哭，就证明我依然差得远。但是就像之前一样，这一次哭完，我又感到再一次接受了自己选择的道路，并且将再一次抛弃刚刚哭过的那个我。哭是洗礼，我选择，我承担，包括里面让我哭的部分。

# Part 4

# 隽永的减法——关于活法

## 68
## 打 勾 的 生 活

**子秋：**我很好奇，每天过打勾的生活，感觉累不累呀？

**潇洒姐：**你想要更好的人生，这是你的愿望。
你有个了愿望，你决定追求。
为了追求愿望，你拆分它变成目标。
确认了目标后，你开始执行。
检验执行与完成的最好办法——完成后在效率手册上打勾。

如果没有愿望，也就不用追求，不用拆分成目标，不用执行，当然不用打勾。
可惜，这样也就没有了更好的人生。

备注：打勾是趁早效率手册的重要使用方法，即在前一天或更早计划出后来每一天的任务，在任务后面画出（ ），完成之后，需要在（ ）里打勾。

## 69
## 自由即自律

**王逸凡：**潇洒姐，有没有这样一种可能，有一天您突然厌倦了每天做计划、打勾的生活，想推翻这种习惯重新来过一种随心随性的生活？

**潇洒姐：**用表单和效率手册管理自己，做计划和打勾，只是目前我认为最好的目标管理方法。这是手段，不是目的。手段会随着目的改变而改变，也会因为目的升级而被替换。

那么，我做计划和打勾是为了什么呢？是为了达到一种自由。自由这一观念在西方哲学里一直有两方面的内涵，其一是自主决策，其二是自我节制。

就现阶段来说，我希望通过时间管理来最高效地处理完不得不处理的琐事，留出更多的时间给真正喜欢做的事，或让我放空发呆，抑或不带任何目的地玩耍；就未来阶段来说，我希望通过阶段性地完成任务让人生上台阶，无论是财务还是认知，希望能够少做不想做的事，少见不想见的人，少去不想去的地方。所以说，当前的一切所谓勤奋和细密的方法，都是为了让自己的生命多些随心随性。

康德说：自由即自律。自律是最大的自由。自我管理正是为了实现自由意志。自律以获得主动权，而不自律似乎眼下轻松愉快，结果是必然被他律——自己不强，各种搞不定，还是得被别人管或者依附于别人。

人性的基础追求是释放天性，更上一层的追求是理性和自律。他律背离人性，所以最不舒服。做计划和打勾，看似是日常小动作，但一定是为了逃离他律的可能性在努力，是人的追求和抗争，甚至可以认为这种个体行为已经具有了高级的人类精神和哲学意义。

如果未来有那么一天，我无限接近我追求的状态了，该计划、打勾的还是得计划、打勾，毕竟维护健康和日常生活永远有“想要做—正在做—已完成”的过程。不过那时候，应该是用最少的计划和打勾，换取最大的自由。

希望我们都能努力到那一天。

## 70
## 什 么 是 热 闹，什 么 是 丰 富

在微信公众平台发表了趁早网精选文章《热闹与丰富》后，大家都提问“热闹与丰富”的区别。

**燕璇：**潇洒姐，请问如何分清热闹与丰富？我突然觉得自己也是爱好用热闹来充盈生活的人，觉得这样人生才多姿多彩，所以一颗到处溜达、到处折腾的心一直在蠢蠢欲动，我也在行动 。

**皇家老千：**很受启发，但是想明白何为热闹、何为丰富。

**Carmen Lima：**什么是热闹，什么是丰富？

**无敌小猪：**可不可以说说您是如何区分热闹和丰富的？

**潇洒姐：**咱们用一对比喻来说明热闹与丰富的区别吧。

先比喻“热闹”。

“热闹”就好比一个池塘，里面有鱼虾游来游去，有青蛙跳叫，偶尔也有其他小动物来饮水 ，有趣又热闹。但是池塘再热闹依然静止不动，鱼虾、青蛙和其他小动物，谁也不能帮助池塘看到更广阔的风景。池塘虽然也会见到莲叶微风、雨后彩虹，但池塘总是视野有限，并有原地干涸的危险。

再比喻“丰富”。

“丰富”就好比一条小溪，遇到又告别各种两岸风景，一直向前流淌。流淌过程中，很有可能有几段路程是寂寞的，但更多路程充满未知的惊喜。鱼虾、青蛙和其他小动物也许会陪它走一段，也许不会，而它只需要不停止地流淌。它见过，它体验过，它就有变成河流的可能。

## 71
## 隽永的减法

**老陈：**潇洒姐您好，我最近也开始选择基本款的衣服，请问您在基本款配备上有什么具体性的指导意见和攻略？

**潇洒姐：**简约是一种风格，如果想很好地呈现这种风格，可以同时培养简约的气质。比如说话不啰唆、处理问题不拖泥带水、克服选择障碍等。美是一种和谐。

以下是选择这类风格服装的一些关键词。

功能导向

衣服的主要功能是保暖和装饰。挑选衣服时，让这两点二合一。这意味着要放弃那些只起装饰作用的衣服，也意味着每一件衣服都要兼顾好看。

减法

放弃有明显蕾丝、蝴蝶结、荷叶片和大块花纹的衣服。放弃累赘的裁剪和装饰。身上同时可以被看见的衣服不要超过三件。

### 精致的细节

简约而不是简陋，你对细节的追求可以体现在纽扣、边角的处理上。越简约的衣服则越需要精心挑选，因为它不易过时，会穿出隽永的味道。

### 材料

对精良材料的追求要超过细节。其实材料本身就是细节。既然简约路线可以缩减总体衣服的数量，可以酌情增加每件衣服的预算。

### 色彩

多用黑、白、灰等中间色为基调色，通过色块来表现内涵。在最开始，可以尝试用小面积亮色，如橙色、红、黄、蓝、绿等跳跃色彩的配饰。

### 款式

像简约建筑一样，简约类衣服以规则的几何形为元素，线条多采用直线。曲线由你自己的身体提供。所以，塑身依然是走上简约风必不可少的功课。简约和塑身一样，都在体现节制之美及对自己彻底的了解。

对此，我有篇文章收录在已出版的《女人明白要趁早之和潇洒姐塑身 100 天》里，叫作《精美的灵魂》，推荐阅读。

## 72
## 老 而 弥 坚

**Stacey 笑若：**您怎样接受变老这个过程?

**潇洒姐：**身体是慢慢变老的，某一天在不经意拍下的照片里突然发现征兆，就像长大一样。我第一次发现自己的老，简直难以置信。小时候，我感觉自己会永生呢。

人的心境往往是突然变老的，遇到一件件足够震撼的事情，一次次瞬间明白之后，以前的你会一去不复返，很难再保有惊讶、天真、好奇、对赌的心。但这也可以叫作成熟练达，而真正的老应该是一种颓然的老态，那种经历打击之后心神俱累、疲惫失望、无法振作的状态。那是最悲伤而又最可怕的。

还有一种是平静和恬淡的老。有一次，我看电影演员陈冲的访谈，她说："当你希望那些电影里很戏剧性的事，无论是好事还是坏事都不要发生，你就老了。"

沿着成年继续成长，经历积累和沉淀，我希望拥有练达睿智的那种老——外表因为抗争过并没有丧失基础比例和活力，眼睛里依然闪着光辉。

人总要变老，我希望变得老而美、老而弥坚。

**努力参与变老的过程，是最好的接受变老的方式。**

# 73
# 又老又美

**许晶：**潇洒姐，那天参加活动看您气色特别好，您平时是怎么保养和护肤的？

**潇洒姐：**这方面我心得不多，自己也一直在研究和寻找方法，我觉得可能有效的做法如下。

1. 从不放弃，绝不放弃。就算天气不佳、诸事不顺、异常忙碌，甚至生育和哺乳期，也要把外表作为第二重点进行维护。第一重点当然是健康。

2. 很少吃零食，很少吃罐头和深加工类食品，早、中、晚饭都尽量在家或办公室吃。每天早饭我都喝白粥，吃一个鸡蛋。喝很多水，不停地喝，也喝茶，喝普洱茶和绿茶比较多。

3. 保有一个运动习惯，见缝插针地运动。如果很累，就换成按摩或皮肤护理，保证静躺休息的时间。按摩和皮肤护理能有多大效用我并不清楚，但是会形成很确切的“我在精心保养”的暗示，我们需要这样的暗示。

4. 卸妆、保湿、隔离、防晒是最基本的护肤环节，是再累也要保证的。这需要靠时间积累才能看得到效果。

5. 岁月流逝不可抵挡，想办法让岁月给自己加分。到了一定年龄，不必用小10 岁的颜色和配饰来假装年轻。35 岁之后，我开始告诉自己：现在我要做一个又老又美的女人了。

6. 老的可怕不在于老这件事本身，而在于因为老丧失了生命力和改变了自己的意志。我不怕老，但我怕老而丑，最怕老而丑了又一事无成。相比于保养和护肤，用健康、内在和成绩散发光彩，这种光彩会更持久。

## 74
## 今 天 乱 入 一 个 问 题

**匿名：**潇洒姐，求能让我坚持塑身的必杀大招！

**潇洒姐：**你前任的现任身材好吗？你现任的前任身材好吗？那个讨厌你的女的身材好吗？那个你讨厌的女的身材好吗？

每天先打开她们的照片看看，然后请尽情地塑身吧！

100 天后，让她们甭管谁提到你的时候都能这样骂你："那个 ××，还不是仗着自己身材好！"

必杀大招已放，看好你喔！

## 75
## 打扮漂亮，走出去

**Jianjian：**潇洒姐，怎样才能脱离相亲的困局，扩大圈子，自由选择自己喜欢的人？

**潇洒姐：**我没有一对一地相过亲，但我在28岁的时候参加过一个Fast Dating活动，与每个人轮换交谈7分钟，然后在主办方的表格里填下心仪的那个人的号码。可惜在那个活动上，我写号码的人并不喜欢我，喜欢我的人我又不喜欢。这就像真实生活的缩小版。

如果你认同婚姻，开始寻找人生伴侣的话，相亲并不算是一个困局，不但不是，还是一个很好的寻找渠道。就像我们不知道会在商场还是路边小店会买到最合体最喜欢的那件衣服一样，很难判断你会在哪一个渠道认识你的未来伴侣。况且，相亲依然是自由选择的形式，只是组织方式可能让人有点不适，但不妨碍你在沟通和选择上的自由意志。

所以，不用抵触相亲，这也是我们增加选择、接触到世界多样性的一个方式。况且，很多人都是经由相亲找到了好伴侣。

相亲之外，扩大圈子是必要的。在趁早精神里，这叫作“增加出席率”。简单说，就是要打扮漂亮走出去，给别人看见你和让你自己看见别人的机会。现在民间的各种聚会和兴趣小组很多，一开始不要多想，报名几个去参加，看看大家都在怎样度过业余生活，同时也可以观察社交高手都是怎样介绍自己认识别人的。

不要觉得一旦去了，没有收获就是浪费时间。本来一切都是体验，如果你本阶段的重要目标是人生伴侣，与你幸福的后半生相比，这些时间代价都值得。

就是这样，**打扮漂亮，走出去，自然地微笑和交谈，让他看到你，让他有生之年都记得看到你的那一刻。**

# 76 女 人 味

**晓易：**潇洒姐，女人味是什么味儿？是先天的温柔基因，还是可以后天培养的？三好职业女性如何散发女人味？

**潇洒姐：**“女人味”这说法我不喜欢，因为很像在被审视、被要求的语境下产生的，有悖于女性的自由意志。如果对照“男人味”来思考，应该是在形容那一种无论从生理到心理都可见的第二性征明显的样子。

看上去女人味很容易办到，长发、红嘴唇、高跟鞋这三样元素只要其中两样同时存在，就做足了八成。这几个元素确实有利于展示作为这一性征的“好看”，但人们对女人味的需求比视觉上更多些。

女性的社会属性里有女儿、妻子和妈妈，这三种身份都有各自的责任和义务。人们通常用“乖巧”“贤惠”“勤劳、善良、慈祥”来形容这几种身份的特质。显而易见，社会对女性身份的期待具有明显的父权和夫权烙印，你的举手投足、态度和言语做得越符合他们的期待，他们会越认为你女人味足。可惜，他们过时了。

我最认同人们对妈妈特质的期待，因为“勤劳、善良、慈祥”里面有担当的成分，埋头努力多过于取悦。如果能把传统观念里的“牺牲”剔除，替换成参与家庭管理决策需要的特质，更符合当下女性的活法儿。

所以，寻找每一种角色中该有的能力与特质比培养女人味更迫切，寻找好了，女人味只是种变好看的技术，当然这种技术也值得着手钻研。你好看了，他们就迷糊，他们越迷糊，你就越容易继续做你自己。

# 77
# 取 悦 谁

**Emily：**潇洒姐，“绝不放弃变好看”是为了取悦大众还是取悦自己，动机是什么？谢谢。

**潇洒姐：**“绝不放弃变好看”是“绝不放弃变好”里的一个子集、一个分支，是对“变好”的众多方面中关于外形皮囊的描述。

应该没人真正想过“变好”的动机是什么。渴望变得更好应该就像崇尚奥林匹克精神一样吧，就像没人会问更高、更快、更强的动机是什么，超越和进步应该是一个人的天然追求、毕生使命，是不需要问为什么的。

我一直有个疑惑，为什么人们总是把变健康、变渊博当作天然应该，而常常把变好看、变漂亮拿出来质疑和指摘，它们的本质难道不是一回事吗？同样受到不公平待遇的还有“变有钱”。我觉得，可能是因为“好看”和“钱”在现世的杠杆作用大得几近魔法，让人爱恨交织吧。

所以我们可以试试这么问，绝不放弃变健康、变渊博的动机是什么？是为了取悦谁？绝不放弃变有钱的动机是什么？又是为了取悦谁？绝不放弃变好看的答案，同上。

## 78
## 80 分后的加分

**阳光不锈：**潇洒姐，想请教您一个问题，优雅同金钱有多少联系？看您在《女人明白要趁早之和潇洒姐塑身 100 天》这本书中介绍的衣服、鞋子全是耐克，要知道那样一件衣服有的价格可能就是我们大学生一个月的生活费，您在没有现在这样好的物质条件的时候怎样打扮自己？前几天逛街，我看中了一个好几百块的钱包，拿起来又放下了，因为太贵了。我当时就跟同伴说，我都没自己挣钱凭什么过得这么精致啊。

**潇洒姐：**器物和用具是人的思想和身体的外延。因为你的穿戴都是你选的，所以理论上你穿戴的一切都是你给自己的诠释和说明。从这个角度来看，你的用具品质和金钱一定有关系。

但如果咱们这里讨论的是“优雅”和“精致”，那就是另外一个角度的事了。

想象这样一个场景：你和你的同学 100 个人，互相之前并不认识，排队洗好澡，干干净净穿上一样的最基础的服装，比如宽松的白 T 恤、米黄色棉布长裤和白球鞋。想象大家都穿好的样子。

再想象，大家前面有一个讲台，所有人要依次走上去自我介绍和讲一段话。想象大家讲话的样子。

继续想象，有一个长得像少年张曼玉一样的女生也穿着这套衣服，也讲了话。然后评选“优雅之星”或者“精致之星”，大家会投给谁？ 100 人中有多少人会给你选票？

然后再回到这个问题，优雅和精致同金钱有多少关系？

答案是：不需要外物，你自身就可以实现优雅和精致。**当你用最简单的发型和衣服就可以支撑一个理想的自己的时候，什么礼服和名牌包都只是用来加分的。**如果你自己有 80 分，用上它们最多是 85 分或者 90 分，而你其实并不会真心在乎那加出来的几分，别人也是。

# 79
# 80 分炼成

**Daisy KK：**潇洒姐您好，很喜欢您的文章，您提到达到 80 分后靠的都是加分，那如何先达到 80 分？如何自成优雅？在没有钱的前提下。

**潇洒姐：**我们还是要先定义优雅，以明确方向。我 14 岁的时候，就在当年的效率手册里描述过一个理想中的形象，如今虽然还没做到，但是接近了些。

优雅有很多定义，气质养成类的书与文章也到处都是，看起来工程都很浩大。我个人觉得从以下几点入手，容易操作。

1. 天然气质受成长环境的影响，比如说话的语气和音调、行走和站立的姿态等。拜托朋友给自己录一段自然状态的视频，然后尽量客观地审视一次自己，通常你会因为不满和羞愧开始刻意改变。

2. 减掉赘肉，最低标准是藏起赘肉，让脖颈、手腕、脚踝看上去细腻消瘦，优雅就完成了三分之一。养护皮肤，最低标准是粉底均匀。优雅首先来自于节制之美，因为节制如此高级，优雅才一直备受推崇。

3. 在优雅里，上述两点都是表面功夫，最难做到的是从容坦荡、游刃有余，这些只能来源于书本、经历和见识，还有在书本、经历和见识之后的思考习惯。多看书，多给自己经历的机会，如果能往前走，就往前走，如果能多听多看，就多听多看。

下面摘抄我的榜样梁凤仪在《潇洒的女人》中的一段文字，虽然潇洒和优雅两个概念稍有区别，我觉得也很值得借鉴：

老实说，女人一般不如男人潇洒。故此，潇洒的女人特别难得、可爱。以下十种情况做到八成，就算得上是真潇洒了。

一、只计大数目的钱，不拘泥一个、几毫。

二、选用名牌贵价货，不着意挑那些牌子外露的款式来买。

三、听了有关自己和别人的是非，一笑置之，根本不上心。

四、遇上旧情人，心无所动，既不炫耀今日的安泰，也不妄提往昔的恩怨。

五、知道情敌倒霉，毫无幸灾乐祸之心。

六、儿子爱老婆和老公疼老母，有甚于自己时，毫不介怀。

七、同辈女友出人头地，率先鼓掌。

八、施恩之后压根儿不再记住。

九、遇难时不叽呱鬼叫以示埋怨。

十、在失败之后，在下一分钟立即重新参战。

依我的观察，很少女人潇洒得来，但一旦潇洒的女人，则上述十项全能，起码勇夺八项锦标。

## 80
## 必 修 化 妆 术

**傻妞一枚：**潇洒姐，您好，作为一个 25 周岁即将毕业的研二学生来说，素颜还是化妆比较好呢？您觉得有必要化妆吗？

**潇洒姐：**化妆跟穿衣服、做新发型没什么区别，都是为了扬长避短、美化自身。我觉得是否应该化妆不需要讨论，只要你穿衣服除了遮挡也为装饰，那么你同样应该重视自己的脸。

有一拨人总是强调素颜最好，别听他们忽悠，他们说的是（好看的）素颜最好。而且这拨人不明真相，能让他们看见的美好素颜多半是不露痕迹的化妆结果。

你需要让别人看到的，是你通过修正形状、遮盖瑕疵，郑重对待了自己的面孔；不是危言耸听，我始终觉得穿戴、化妆、姿态和语音，直接关乎尊严。**出来做事，在得到别人的尊敬之前，首先要靠自己支撑出风范。**

养成化妆习惯很简单，日常有几点做到就够了。

第一，匀净的粉底。基础是好皮肤，那些真素颜也够美的人，都是因为皮肤够好。护肤功课要常年坚持。

第二，增加脸部对比度。我觉得眉毛的形状和眼线非常重要。眉毛的样子几乎直接决定了你的气质定位和神采，一定要花时间休整和精致描绘，找到最有风范的轮廓，练习之。日常妆有粉底和眉毛做基础就已经很精致了，可以直接出门。

第三，红唇。可以随着年龄和生活体验由浅入深去尝试，红唇的光彩让人过目不忘。找到你最适合的几个颜色。当你能驾驭大红唇的时候，你的美丽基本炼成。

“学好化妆术，拾掇好再出门。你自己会开心，别人对你会多点耐心，百利而无一害。”——《写在三十岁到来这一天》

# 81 是枷锁还是工具

**羽凡：**潇洒姐怎么看待穿高跟鞋这件事？

**潇洒姐：**你问的是不是：女性主义者为什么还要化妆、涂红嘴、穿高跟鞋，以及接受许多在男权社会里把女性物化的装扮，这不是自打脸吗？

按照渊源来分析，人们普遍认为高跟鞋与裹小脚相关，裹脚是摧残压制女性，高跟鞋只是缓和的变种。激进女性主义者认为，接受高跟鞋，意味着内心依然接受女性被审视、被处置的地位，依然在靠取悦男权世界而活。

任何一件生活琐事，都可以去研究其背后的推演，都可以从推演得到一个和你价值观背道而驰的理论。比如说，你是一个坚定的无神论者，但如果你细心研究，会发现几乎你手边常用工具的发明人都是虔诚的有信仰者。你怎么办？要不要抵制？要不要先确认所有事物的渊源是否和你在一个轨道上，然后重新选择生活？

要做一个女性主义者，同时还是理想主义的现实主义者，还真难拿捏。

我理解的女性主义就是，自己知道怎么选择和奔向理想主义，选什么都不是被逼的，选了之后就算错了也只吸取教训不抱怨；现实主义就是，当下怎么选最有利于实现理想就怎么选；理想主义里面还有个理想形象，我心目中这个形象的确是穿着高跟鞋的——因为穿高鞋更显腿长。

无论是在男性面前、女性面前，还是在镜子面前，腿长就是腿长，是看上去的事实。我们追求的是进步的事实，就是因为事实进步了而高兴。全是因为我高兴，而不是别人高兴，这才是本质。

**高跟鞋并不是人类明知有伤害但依然乐此不疲去做的唯一一件事。和吃零食、吸烟、玩网游、不运动比起来，高跟鞋是个美艳的天使。**

## 82
## 升 级 朋 友 圈

**A 穿 AJ 的纪老太：**潇洒姐，每个人都有成长速度，但他们确实还算是有感情的朋友（高中同学），应该如何处理与他们的关系呢？比如你只想和他们聚三个小时，可他们偏要在一些无聊的问题上纠结你八个小时，如何得体又不伤感情地拒绝呢？

**潇洒姐：**只要你在成长，你的朋友圈一定会发生改变。就像你的家庭环境和电子产品不断升级一样，朋友也会不断升级。

人和人交往的层次区别很大，那些深层次交往的朋友会影响你至深，你们的友情会深远地渗透进生活；浅层次交往的朋友也是你通往世界多样化之门。多样化用来观看和了解，但不是你选择的生活。

如果朋友支持和理解你，和你一起探讨的问题也是你最关心的，正向而热情，不纠结当下、怨天尤人，你会觉得生活特别舒服，成长特别美好。

但你会发现有些朋友不是这样，聊天内容微观而沮丧，充满无谓的八卦和抱怨，陪伴让人很有负担，相聚后比相聚前更累。你可以先试试引导和改变他们，如果效果不大，你肯定觉得这些时间不如留给自己正向积累。自私地说，你不能浪费自己的生命；高尚点儿说，你应该利用这些时间为世界创造新的价值。

其实，当你勇猛精进时，你的朋友也未必舒服，当大家的人生目标拉开差距，分道扬镳的时刻早晚会来。人各有志，这里面并没有对错，只能说人们骨子里都看重安全感，讨厌变化。而你就是变化本人，当你追求变化，你要为此付出代价，包括友谊。

我们尊重每一个人选择的活法儿和看世界的观点，可惜你的时间是有限的，你把时间无休止地分出去，就阻碍了自己的活法儿和看世界的观点。下一次，你可以在见面之初预先说出自己的时间安排，三小时后道别起身离开。三小时内可以在小团体里聊一切，三小时后你还是要面对远方和世界。

我们都在等待生活改变、机会来临。但如果不主动改变饮食、作息、思考方法、交谈对象，如果不挥剑刺破玻璃罩，那些改变和机会就永不会发生。

## 83
## 礼 金 的 困 惑

**陈小乖子：**近期我们已经筹备结婚事宜，但是我家里希望对方能多给一些礼金，从爸妈的角度看是不希望我受苦，而且我家这边礼金是当嫁妆办过去的。礼金多少是不是能够看出对方的诚意呢？如何才能做到双方都满意？好困惑啊。

**潇洒姐：**礼金与观念和传统关系大些，多数是长辈的要求，落实它也是为了让长辈安心。一辈子长着呢，礼金和嫁妆属于一时一隅的事，其实和未来生活的质量高低、幸福与否关联很小。

长辈说的“受苦”，是怕你在婚姻关系中得不到尊重和话语权。一般娘家越硬朗，你经济越独立，受苦的可能性越小。所以，你可以通过估量你未来的前景，来衡量双方出资的多少。

为什么用“出资”这个词？因为礼金和嫁妆，从某一个角度更加透彻地反映了婚姻的经济合作体和契约行为，很像两家人在合作前的出资占股比，谁出资多占股比大，谁就享有话语权。从这个角度上来说，让对方占股比小不是坏事。

如果你觉得有真爱就好，礼金不重要，为了尊重父母的感情和意愿，让他们决定就可以了。那本来是他们辛勤的收入，应由他们自己决定如何支配。对方父母亦然。

说到我自己，我觉得我爸给我最好的嫁妆，应该是出资帮助我注册了公司，这个胜过一时的礼金，可以持续增值；叶先生给我的最好礼金，除了求婚钻戒，就是他的长久支持。

## 84
## 死 心 时 刻

**Sarah 零：**您是如何做到对 EX 完全死心的?

**潇洒姐：**从小学、中学、大学毕业后，从一个单位离职后，你经常会缅怀过去、故地重游吗？反正我属于那种不爱缅怀的人，因为太着急想往前走。

EX 和过去待过的地方、上过的课差不多，分手后他还存在这世间，并不意味着你们还有交集。他和那些地方一样，都是人生的某一篇儿，而你已经翻过去。

死心的程度在于压弯骆驼的最后一根稻草有多么不能忍受，是刺痛还是漫长的折磨；也在于你是否察觉自己已经在这过程中放弃和退让了很多。察觉的那一瞬间，应该是这样的——他的光芒突然都消失了，你会惊觉他竟然这么矮、这么多谎言、完全不帅、衣服没品位，之前被蒙蔽的一切突然都显现了。一个人在你眼中泯然众生，就是死心的那刻。

当然你还会有沉渣泛起的心动时刻，想起一个多年前的瞬间，并唏嘘物是人非。这很正常，其实你缅怀的是当时那天自己的感受，那感受往往随着成长永不再来，而他刚好在那个时期，陪你演了一下对手戏。

## 85
# 因为爱情

**小鹿紫：**潇洒姐，能给我讲个您最受震动的爱情故事吗？一个真实的故事。

**潇洒姐：**有些人是天生不羁的，对于他们来说，生活就是不停拥抱崭新，看无数路上风景。我的朋友 H 就是这样一个男生。他在美国电影专业毕业之后，开始环游之路，几乎去了我能想象的所有绝美地方，拍了许多令我们看呆的照片，照片里有各种各样的风景和人，更有很多美丽的女人。他好像一直在路上，不眷恋、不停留。

有一阵子，他回到了北京，好像是看望父母，总之他无法忍受无所事事，看到一个应征纪录片短期摄影师的招聘，就去了。面试他的是一个女导演。那场面试从下午持续到傍晚，他讲了他路上所有的见闻和对世界的情怀，她讲了她的纪录片梦想。

面试结束以后，他回到家，关好门，头抵着墙壁哭了一夜。他知道他的天涯羁旅从此断送，他之前的人生就停止在那天了。第二天，他洗干净脸，换上清香的衣服去女导演那里上班，从此以后就一直留在了北京。当然，他们后来结婚了。但这个故事最震动我的，是他头抵着墙壁哭泣的那一夜。

## 86 你的渺小和伟大

**小孟孟：**潇洒姐，您讲的那个头抵着墙壁哭泣一夜的爱情故事我很喜欢。您觉得认出灵魂伴侣是什么感觉？有什么标志吗？

**潇洒姐：**“我想之所以永远有这么多人在忙着得到爱失去爱抱怨爱唠叨爱，除了伟大的化学反应，还因为爱情是成本很小、‘进入门槛’很低的戏剧。如果要以做成一个企业 、创作一个艺术品、解决一个科学难题、拯救一个即将灭绝的物种……来证明自己，所需才华、意志、毅力、资源、运气太多，而要制造一场爱情或者说那种看上去像爱情的东西，只需两个人和一点荷尔蒙而已。于是爱情成了庸人的避难所，于是爱情作为一种劳动密集型产品被大量生产出来。说到底一个人要改变自己太难，改变别人更难，剩下的容易改变的只是自己和别人的关系。在一起，分手，和好，再分手，第三者，第四者……啊，枝繁叶茂的爱情，让一个可忽略可被替代可被抹去而不被察觉的存在，看上去几乎像是生活。”——摘自刘瑜《兔子跑什么跑》

借用以上我钟爱的段落，我也想说：爱情和灵魂伴侣并没有直接的关系。灵魂伴侣不必一定存在爱情里，灵魂伴侣间也未必拥有世俗爱情。既然这样，如果我们非要追求爱情对象是灵魂伴侣才行，那就有点儿类似于工作必须追求理想，目标确实远大，但落寞的可能性很高。只有爱情也是好的，有片段苍白的爱情也是好的，都是体验的一部分，体验让人因积累而丰富，至少让体验者本身拥有了灵魂。

再说认出灵魂伴侣是什么感觉。那应该就是“懂”的感觉。张爱玲所说：“于千万人之中，遇见你要遇见的人。于千万年之中，时间无涯的荒野里，没有早一步，也没有迟一步，遇上了也只能轻轻地说一句：‘你也在这里吗？’。”只有文学意识流的方法可以描述的——让一个人褪去苍茫宇宙中孤独的——瞬间。那一瞬间，你觉得只有TA知道你要去哪儿，为何出发，看到你的渺小和伟大。

看来这个问题，只能用形容词和摘抄来回答。

**如果有人问：找到一个灵魂伴侣最重要的是什么？**

**我会回答：最重要的是，你自己得先有灵魂。**

## 87
## 找到一个仅次于爹妈的亲人

**虫子：**潇洒姐，和男友交往到什么程度可以结婚呢？有什么具体的“指标”吗？

**潇洒姐：**这里有几个我觉得适用的参考指标，你可以借鉴一下：

1. 你们已经成为仅次于爸妈的亲人，好事坏事都交流，并接受彼此的弱点。
2. 你们都确认喜欢的是当下的对方，而不是未来期待中的彼此。
3. 谈到未来时，你们都充满希望，并且表示要为之努力。
4. 开诚布公谈过钱的问题，并在支出管理上达成了共识。
5. 明知许多年后你可能会变成他的样子，沾染他的习惯，但你不介意。
6. 如果你们是战友，在炮火中坚守最后一个战壕，你坚信你们会互相保护。

当然，最理想的契合就是三观的契合，我个人的经验和标准可以参考我的书《女人明白要趁早之三观易碎》中的章节。

## 88
## 一个不会后悔的决定

**啊啦~青青：**潇洒姐，我知道您很少回答感情问题，但我真的希望您可以用理性和方法论帮我理出思绪，做一个对得起自己不会后悔的决定。我的现男友着急结婚，可我父母对他的硬件、个人学历和性格不看好。而我自己爱他，同时也知道父母说得有一定道理。所以，我犹豫，不知道是继续还是分开，怎样才是对彼此真正的好？

**潇洒姐：**咱们来换位思考。如果我的女儿想要结婚，而她的目标结婚对象硬件、学历和性格不太好的话，我大概会这样展开分析。

### 硬件

这说明环境没有提供给他基础，目前没有迅速积累的能力。未来的潜在积累能力不可知。这个条件会决定我女儿的生活质量，我会关心女儿未来是否会为基本生活所累，这种累会让她没有能力和心力去做更多选择，她的一生会受限。作为父母，当我明确知道一个人会限制我女儿一生的命运格局，我会忧虑。

## 学历

我从不看重学历，但我关心是什么造成了他学历不好。如果是由于学习能力、学习方法和自我管理不力造成的，他的综合能力依然堪忧。就像一个玩笑说的：“他挺聪明的，只是学习方法不好。”不知道学习方法，那不就是笨吗？作为父母，我会担心我的女儿和一个综合能力不强的人生活在一起。我希望我的女儿可以成长到不需要保护，她需要一个不比她弱的战友。

## 性格

有一种说法是，不管一个人性格好不好，他对你好就够了，我不认同。他至少应该对你好，然后他需要一个适合沟通和富有魅力的性格来适应周边与生存。与此同时，在漫长的生活磨砺之后，他对别人和对你的根本态度会慢慢趋于一致。**性格的重要性远超过硬件和学历，在那些失败的关系里，金钱从来都不是最后一根稻草，让人绝望的沟通才是。**

## 爱情

真爱的感觉是无视以上三条的。虽然我换位思考分析了这么多，你也可以无视，因为你有真爱，真爱大过天。真爱来时当然要体验要经历，因为那感觉不会一直都在的，即使你父母不阻拦，它也往往会在未来以我们不知的方式减少或消失。我不认为你现在就需要决定分开或坚持。你现在应该做的是体会真爱。

## 结婚

这里我唯一奇怪的是，他为什么要着急结婚。结婚不必着急，结婚也无法真正拥有、得到、捆绑住任何人。对你来说，你需要把他的特质和条件放在亲人角度重新考量，他能成为你仅次于爹妈的亲人吗？这个答案就只能你自己去感知和寻找了。对很多人来说，结婚在于经济共同体意义和对真爱的承诺。在宣誓的那一刻，你会觉得你们竟然敢于对着海枯石烂发誓，挑战人生的不确定性和时间，被自己的勇气打动。可是，真正能够一起参与挑战不确定性和时间的，除了真爱与勇气之外，确实还有硬件和性格。真爱就是真爱，而婚姻是一团因素促就的，在你还没把这一团因素理清之前，你既不需要着急分手，也不需要着急结婚，需要的可能还是时间。

PS：我对爱情这件事是没有理性观点的，它就没法理性。如果有观点，我的观点就是：甜蜜当下，无问西东！

## 89
## 金龟换酒

**Shania：**潇洒姐，有时我非常羡慕身边的女生都能嫁得很好，不是富二代就是官二代。有时我觉得自己在工作上付出再多汗水也抵不上她们命好，她们轻而易举就获得了享受。您在 25 岁左右有过这种不平衡吗？怎么处理这种不健康的心态呢？

**潇洒姐：**对我来说，人生有俩终极愿望：一个叫自由，一个叫尊严。无论嫁与不嫁，嫁给谁，这俩愿望都是不可撼动的。只要能让我接近这俩终极愿望的，我都追求；只要是方向上违背这俩终极愿望的，经证明最终也走不远。

如果让我判断嫁得好不好，那么我会看在获得了更丰富物质生活的前提下，是否用依赖和仰他人鼻息的生活状态做了兑换。兑换一旦发生，我就视为失去了更珍贵的东西，这些东西在青春过后会一去不返。包括她是否还可以做自己，上自己想上的学，待自己想待的城市，以及坚持自己的生育愿望等。

我的一个闺密在 26 岁时嫁给了南方一个《福布斯》中国富豪榜榜单上的人的儿子，婚后男方家长要求她辞去北京的工作，并且迅速生育，令她非常纠结。男方家族认为那份她喜欢的工作的薪水不值一提，认为婚后不迅速生育，她的身份就毫无意义。最后不得不以离婚结束。

我认为她做出了正确选择：我的热血和理想里可以包括金钱，但金钱不可以浇灭我的热血和理想。

定义嫁得好，应该是物质生活有所提升，也没有失去自由与尊严。你那些嫁给富二代和官二代的朋友，是否真是“轻而易举就获得了享受”并未可知，但真正的命好叫作“求仁得仁”。如果她们不渴求自由与尊严，那对她们就是好生活。她们不重要，重要的是，看你要的是什么。

记得我17岁的时候，第一次跟我妈妈去出席一个外国公司的高层庆祝活动，人们都穿着华丽衣衫，觥筹交错。每一个人介绍自己的时候都有Title（头衔），都在兴致盎然地讲述自己正在从事的事情。到了我这里，我只能被介绍成为“×××的女儿”。当然，因为我只有17岁。可是从那天起，我就暗暗决心，我一定要有自己的事做，不要成为附属品。

以这样的心态，我从未想过选择去走一条单纯的“×××的女朋友”和“×××的太太”的道路。写到这，我想起Coco Chanel（可可·香奈儿）拒绝公爵时候的那句话：“地球上有很多公爵夫人，但只有一个Coco Chanel。”你瞧，当不用任何人为自己加分的时候，连婚都不用结。

# 90
# 爱　过

**阿怪：**潇洒姐，您怎么看待失恋分手这件事？现在我走入一个怪圈，两个月没走出来。

**潇洒姐：**在写过的文字和问答里，爱情部分我写得最少。因为这一部分最没道理、最无章可循。当你身处其中的时候，你想表达，却写不出真正清爽理性的东西；当你已不在其中，终于可以冷眼审视当初、看清来去得失时，你早已忙于向前赶路。有人问你，你也摆摆手不想再提。**爱情就是这样一件事，此中人说不透彻，看天空都是粉红色的；过来人不想赘述，看情侣都像神经病。**

对这种感觉的对比，我有发言权。有那么一年，我听电台情歌内心都禁不住呵呵，觉得幼稚可笑、虚情假意、自我催眠。对的，那一年应该是我分手后伤感的末期。早期是剧痛，中期是煎熬，末期就是冰凉，晚期是往事如烟。看你的问题和两个月的时间来判断，八成是处于最不好过的中期。

为什么最不好过的不是早期？因为早期你是晕的，半疯状态，不知日月晨昏，时间感和味觉都错乱了，进入类似于无我的高峰体验，而且多半有朋友陪你，见证你的肝肠寸断。进入中期朋友烦了，但你还没好，对现实处于半接受不接受午夜梦回又哭一场的阶段，就只能靠自救。自救才最考验人。其实像我这种人，扮高冷又自尊心强，就算早期别人也看不出来我在经历失恋，更需要自救。

我知道你是想让我说个好用的自救方法，但我的方法可能有点儿极端：在四处寻找重生稻草之前，我通常会找分手对象去和他对峙一件事——我必须亲口听到他对我们的关系宣判死刑，要一个决绝的结果，才能掐死我残存的希望。我需要一个仪式般的转折点，得以擦干眼泪转过身再不留恋继续上路。羽泉有首老歌叫《冷酷到底》，唱的就是这个意思。

对了，听歌也挺管用的，让人感觉分手不叫事的歌曲还有张宇的《单恋一枝花》，卢巧音的《至少走得比你早》。不好意思，我推荐的歌都很有年代感，但真的忍不住把《至少走得比你早》的歌词贴在这，当年太治愈我了。

我想得比你多
陪你一起更寂寞
我性格比你强
怎样做你的绵羊
我年纪比你小
不信快乐找不到
抬起头开了口

最后我比你骄傲
从此不坐你的牢
想不到你的好

记得和你的争吵
想到老可到老
可是和你做不到
如果你爱得比我少
至少我走得比你早

听着听着，总有那么一个点得到触动，在那之后，人突然间就好多了。

然后，必须寄希望于时间和新欢这两大解药。正如有段至理名言所说：**“想要忘记一段感情，方法永远只有：时间和新欢。要是时间和新欢也不能让你忘记一段感情，原因只有一个：时间不够长，新欢不够好。”**

真正的释怀可能要在几年之后才会到来。环境、朋友和容貌都已改变，追忆和提及都像是上辈子的事，当年种种都没有波澜，而你已“再世为人”。

“我猜，如果我们真爱过，生命尽头的时候，你会成为人生电影中的一瞬，从我脑海飘过。嗯，就这么多。”

## 91
## 海就是海，就在那里

**Yuan：**潇洒姐，你有没有对人性失望过？失望了怎么破？

**潇洒姐：**我对个别人失望过，经历过失望、难以置信、绝望这样的感受若干次。我想，别人也一定对我失望过。

你曾以为谁谁是不同的，然后你悲哀地发现他不是，原来他也贪婪自私、患得患失，只是隐藏得比较深；你以为你自己无论如何都比他高尚，自己是不同的，然而在考验面前，你发现你自己也不是。你有过的算计、嫉妒和欲念，别人也许没看到，但你自己清楚。

开始出来做事之后，了解到很多事情的诱因都躲不过人性，我很容易失望。原来他这样，他们也这样，外表和内里不统一，也都经不住考验，那么善良与美好真的存在吗？如果一直都不存在，大家都是佯装天使的恶魔，那么一切还有什么意思，未来的希望在哪里呢？我猜这是你现在的困惑。

然而，无论我们怎么想，人性从来没变过，是人性的特征和需求构建了历史和我们生活的世界，对那些包括人性在内亘古不变的存在，我们该怎么办呢？

我们会因为大海风平浪静就喜欢它，会因为海啸就对海失望吗？失望了怎么破？不看海、不爱海，还是别人一提海我们就反对？海就是海，就在那里，就像人性就是人性一样。它只会一直存在，不会走过来摸我们的头；我们佯装不见和逃跑也没有用，这不会减少我们的怯懦和怀疑，反而会提醒我们，怯懦和怀疑本来就是人性，我们从未逃脱。

相反，如果我们能学会和海共处，观察海、了解海，风平浪静时我们就欣赏，海啸来之前我们就躲避，那就了不起了。世界只给你一把双刃剑，你要学会使用，如果因为怕受伤就丢弃它，你就连武器和武艺都没有了呢。

人性就是人性，没有具体的善恶，或者说善恶并存，然而人性向善。那么多人参与了尔虞我诈熙来攘往之后，转过头看到一个煽情的电视节目就会流下泪来，多数时候并不是虚伪，只是向善。向善，就是人类的希望。当你自己向善，你自己就是希望。

## 92
## 客厅沙发上的听众

**葫芦娃：**潇洒姐，您平时下班回家后会与叶先生交流工作或者生活吗？你们平均每天的交流时间多少，会因为交流中有分歧而吵架吗？

**潇洒姐：**和叶先生交流我的工作，一直是我们家庭沟通中挺重要的一部分。我与叶先生 2007 年相遇，我 2008 年正式注册公司，我们的相处中贯穿着各自工作的成长。同时，工作性质和内容决定了我们的生活方式和思考问题的方法，无论我们是否意识到，工作一定会以各种形式被代入到生活中。

我很喜欢向叶先生讲述我的工作，一来向家人讲述可以没有压力地让思路发散，讲述的时候自己也在整理和思考，有好几次我都是在家里客厅沙发上讲述时突然获得了灵感；二来叶先生能代表行业之外的观察者，看待事物的角度和我有区别，经常会提供给我有新意的意见和有差异的角度；三来他会在倾听后给出鼓励，这才是来自家人最重要的东西。

我们的交流属于白天随时手机沟通，回到家想起就说一说，没有刻意规划和计算过时间。但是回想起来，几乎我所有的新想法和演讲，叶先生都是第一个听众；同时，叶先生的每一次职业选择，我都参与了讨论和决策。这样看来我们的交流时间还是挺多的。

生活上，我和叶先生都不太喜欢聊琐事，更喜欢聊未来计划，比如聊哪里有好吃的好玩的和购物清单，然后聊时间、地点和实现方法。有了女儿问问以后，我们最喜欢聊的内容一定是问问。

这些年我和叶先生大概有三次吵架，在《女人明白要趁早之三观易碎》里专门描写过吵架内容。交流和彼此理解非常重要，是一切关系的基础。人生伴侣在人生的各个时期都能交流和彼此理解，心灵相通，才能成为真正意义上的亲人。这也是关系中最难达到的事，是我一直努力的方向。

## 93
## 同 行 者

**张婷婷：**潇洒姐，您好。您每天很自律，都是积极认真的状态，您丈夫有和您一样的精神追求吗？他会和您一样努力，对自己高要求吗？如果情侣这方面的契合度不是很高，该怎么办？

**潇洒姐：**首先还是得说明，我真心没有多自律，但是我一直在追求自律。虽然我经常做不到，但我认为自律特别对、特别好。这个往大里说可以叫价值观。

那么，作为我的生活伴侣，叶先生怎么做我觉得就够了，就足以有利于家庭建设呢？其实，叶先生本人不必和我一样去追求自律，去恪守每天专注几小时，去称体重、量腰围，去定期更新人生计划。但是他必须认为，做这些不错，这些一定是好的，我追求这些是开心的。往大里说，这应该叫对伴侣价值观的尊重和认同。

这体现在，我专注的时候，不打断和影响我；我健身的时候，帮助我分配和处理其他家庭事务；我做一个项目的时候，鼓励和监督我的进步。基本上，能做到帮助而不是添乱，就是不错的伴侣了。我知道有些人不仅做不到鼓励和认同，还冷嘲热讽，还制造阻碍，这样的人不是真正的伴侣，两人也走不了多远。

我不会刻意要求对方和我一样，因为对方也是独立的成年人，如果他有足够想要的，他一定会去做。再说了，我都每天言传身教了，还要怎样要求啊。

其实，当我们自己真想做一件事，做就好了，不用拉陪练。如果真正想做，你也不会担心他会把你拉回他的速度。但是，如果有那么一天，你们由于速度悬殊以至于在那个精神次元彼此看不见了，也就无法再是伴侣了。

# 94
# 谁埋单

**密斯张：**潇洒姐，问一个俗一点儿的问题，什么情况下您会掏钱请客？您结账的标准是什么？

**潇洒姐：**前一阵，我发现一个合作公司的女生去她老板那里报销了几笔千元以上的餐费，事由都是请我吃饭，并且对她的老板说：王潇只肯在昂贵的地方吃饭，且饭后从不埋单。

我知道的第一时间确实有点生气。因为这个描述不但恶意抹黑，而且完全和我的结账习性背道而驰。

我经常请客，尤其当遇到在座都是比我年轻的小朋友，以及由我召集或主要召集的聚餐活动时。总之，因我而起的有交流和事件目的的吃饭，既然叫大家来吃，我肯定要埋单。大家都挺忙，加上现在的交通情况，一顿饭得用上三小时甚至以上的时间，别人在花生命陪你吃饭哎。

还有就是没有具体目的的聚餐，多是亲朋好友交换生活情况等聊天内容，结账标准是：一看心情，二看大家约定俗成的轮换或 AA。

如果参加别人组织的晚餐或饭局，那肯定是尊重主人意愿，乖乖被请吃就好了。因为埋单能力、埋单意愿以及整个埋单的姿态也是一种尊严，咱得尊重主人的尊严。和男性吃饭多数时候同理，尤其当他们抽出白金信用卡时的动作总是很帅气时，欣赏一下。

金主请客是有欣快感的。自己埋单时，体验那种欣快感；被盛情邀请时，成全那种欣快感。

## 95
## 只 玩 一 次

**Mooncake：**我想请问潇洒姐怎么接受自己的死亡。

**潇洒姐：**最近的问题哲学气氛都好浓，不过我喜欢与人一起讨论这类问题。“形而上”好像离我们很远，其实最近，因为一切大大小小的事、所做的一切选择都是世界观的映射。所以能琢磨的时候还是要多琢磨，上面想通了一个点，下面能解决一大片。

首先，还是要先定义死。
由于我没有宗教信仰，目前不知道是否有前生或来世，也不知道是否有魂灵，所以，我只好把这一生看作是仅有的——只活一次，死亡是我主观体验一切的完结。

就像被逼进了一个叫作“人生”的游戏，一进去你的初始级别就被设定，角色形象也无法自定义;全程不能存档、读档和暂停;剧本复杂琐碎，Easy（简单）模式和 Hard（复杂）模式的切换很难找规律；几乎所有的道具都收费；还有很多大神级的玩家轻易就可以把你打败。最后，你无法知道什么时候被删号，某一天，“噗”地一下，你被删号，游戏被终止了。

这就是死亡——在只能玩一次的游戏里，你被强行删号，在游戏里消失了。

OK，那既然这样，玩的全程，在删号之前，我们究竟能做点儿啥呢？

1. 无论遇到的是什么设定和装备，研究它、利用它。

2. 熟知自己的角色弱点，避开创伤性交锋。

3. 苦练一个必杀技。

4. 玩得投入点、丰富点、淋漓点，毕竟只玩一次。

5. 如果因为过分投入而痛苦不堪，想想终将到来的删号，再站在开发者的角度抽离出来看看这个游戏。

6. 就算感觉要玩不下去了，也别自己删号，既然早晚是删号，不如试试到底能玩成啥样。

7. 尽情玩，玩够本，这样删号的瞬间也能觉得值了。

我猜，死亡，可能最可怕的是死时的痛苦和死后的未知。痛苦无法避免，不过好歹早晚能过去。死后我灰飞烟灭，但整个游戏还在继续。对我来说，如果能留下点攻略和玩法指南，让看过的人能因此而玩得更尽兴，就可以了。

## 96
## 终 极 恐 惧

**张寻的魔咒：**您对死亡恐惧吗？您有中年危机感吗？

**潇洒姐：**死这事放在任何没有信仰的个体上，感受都应该是复杂的，应该没人能真正想通过；有信仰的个体也许会好些，因为能有一套系统答案去遵循，但不排除里面也有很多安慰和说服功能。这点我了解得有限，也没资格多说。

作为我，一个没有宗教信仰的人，对死的恐惧和其他没有宗教信仰的人差不多：死前的痛苦，死后的未知，亲人的悲伤都足够让人恐惧了。作为一个受过唯物主义教育的人，学过宇宙的能量守恒定律，知道"能量既不会凭空产生，也不会凭空消失，只能从一个物体转移到另一个物体，或从一种形式转化成另一种形式"，我知道这套肉身里的原子、电子、原子核什么的及其能量不会消失。如果我死了，我只是肉身被分解成亿万粒子进入循环世界，正如我是如此被聚合的一样。这样想会好很多，但我的知觉和体验却会永恒消散，进入空与无，就像这个世界上有我之前一样，这依然让人恐惧。所以这恐惧解决不了，只能在肉身被分解成亿万粒子之前用尽可能多的知觉和体验打败它。在有限的时间里，丰富、精彩、活够本，是个主动打败恐惧的方法。

你看历史里的人都在寻求肉体长寿和精神不朽，科幻电影也总是表现人类毁灭，可见古今中外所有人对这种恐惧概莫能外，况且你我这种凡人呢，关键时刻被死亡吓尿也是在所难免了。

再说中年危机这事。我的中年危机就是——突然发现这还没干什么呢，怎么就已经开始老了！32 岁，我从电梯的镜子里发现我的毛孔、眼袋、脸蛋都不一样了，都隐约出现了老态。当时的感觉是从惊讶到着急，甚至有点儿慌了。这种恐惧其实和对有限生命的恐惧是一种，就是对有限青春的恐惧，所以解药还是一样，丰富、精彩、活够本。为了给自己解药，我还想试很多新东西、新事物，时间太紧迫，我不想现在就要岁月静好，以后有我啥也干不了只能静好的时候。

就先回答这些吧，总之，想过死，面对老，反而会把眼下过得更好。正因为结果都是悲观的，当下才要无比乐观；正因为有死，活着才要永远生机勃勃。

## 97
## 也要现在，也要未来

**Jaycee：**潇洒姐，您怎么看及时行乐？

**潇洒姐：**2010年5月，我到四川什邡给一个客户做捐助震后小学重建的建成典礼，认识了一个当地的司机，说到“5·12”大地震的情况时，他给我讲了一件事。

他说什邡有一个被埋了十多天被救生还的人，是他的朋友。他这个朋友是个老师，平常生活节俭，持重内敛，人际关系一般，几乎没出过什邡。

地震之后他性情大变，每天都很爽朗开心，去旅游，去买好看的衣服，交了很多新朋友，就像换了一个人。

司机问他朋友，被埋的十多天里，他都经历了什么。他说，就是在计算所有让他舍不得死的事，想象所有他还没吃过看过的好东西，然后告诉自己，如果能活下来，他一定要去做什么，怎么花他存下的钱，他要及时行乐。对，就是这四个字，及时行乐。

在已经出版的《女人明白要趁早之三观易碎》里，我把及时行乐定义成“活到淋漓”，要去及时做有利于人生体验丰富最大化的事，而不去做有悖于此的事。

比如一种好吃的东西比较贵，但我很想吃，那我就尝尝，但不吃撑。吃撑就可能导致身材很快变形，就不美，不美可不利于人生体验丰富最大化。我希望有一种理想境界，就是好的都要，现在、未来也都要，又让它们不妨碍彼此。

如果是这样，**及时行乐也要合理掌握和拿捏，标准下限就是在不损健康、不触犯法律、不断送前程的条件下，让该发生的发生、该发展的发展。**

还有，应该再定义一下“乐”字的含义，那就是真正让你兴奋和充满兴趣的事，最贴近你的天性和理想的事。这些事，能今天做，就不要推到明天，能争取，就不要等待。没有人知道对于你来说，那些都是什么，不妨想象一下，今夜就有大地震，屋顶倾翻的那一刻，你脑中闪现的所有遗憾。

## 98
## 不要留白

**Joyce：**潇洒姐，您的生活那么忙碌，是否经常抽时间自己静静地待着，什么都不做，只是倾听内在的声音？您有没有想过为自己的人生留白？

**潇洒姐：**我一直觉得，刻意去做“倾听内在的声音”这类事很矫情，是一种典型的文艺腔。有质量的思考不需要刻意找寻时间、地点和仪式。“内在的声音”也是一种含糊的描述，如果是形容“真正的自我诉求”的话，那不用找时间倾听就应该知道，并且无论何时何地都能知道。无论是不是静静地停下来听，我们都应该知道我们是谁，我们该去哪儿，现在做的事究竟是有利于这个方向，还是有悖于这个方向。

就算再忙碌，当人群都散去、手机不再响，在一件事与另一件事的间歇里，能够安静的时间并不是那么少。我能够完全不受干扰进行独立思考的时间集中于洗澡时、堵车时、按摩时、飞机上和临睡前，还有就是写东西的时候。把这些时间加起来，每天至少有两小时我是安静独处的。这并不是一段和几段努力争取来的时间，它本来就是生活的一部分。

写东西是其中最有质量的部分，因为它一定会引发思考，思考之后还会留痕迹。因此写东西一定强过“什么都不做”，因为教训告诉我们，前思后想之后又飘散掉的点子、思路和决心太多了。记下来的过程对我非常重要，所以我洗澡后、按摩中、堵车中、飞机上、临睡前，经常会猛地找到我的效率手册，记下刚才的思路。我也不知道这算不算静静地和自己待在一起。

我是真心觉得，人脑很难停止工作，即使不主动思考，潜意识里也在工作。我也有几乎什么都不做都不想完全放空的状态，傻呆呆的，可以叫作留白，但出现的机会不多，几乎都是在一个大项目完成后的短暂圆满里。我很喜欢那样的状态，不过总是维持不了多久，新目标就又开始了，周而复始。

我从没想过主动去留白，因为睡眠就是最大的留白了。比方说，如果中国人口平均寿命为 75 岁，每天有 8 小时啥也不干躺在一个垫子上，那一辈子约有 22 万个小时躺在垫子上啥也不干，这已经够了，还要怎样留白啊？还有就是，死后那真是漫长的、静默的留白。

## 99
## 我的励志导师

**April：**潇洒姐，记得您曾经说过徐小平告诉几年前的您找个富豪嫁了别创业。您当初也没明白他为什么对那时的您这样说，而今您已经取得一定的成就，相信也再次遇见过徐小平，有问过他当初为什么会建议您嫁人而不是创业吗？

**潇洒姐：**故事是这样的：

2006年，我在翠宫饭店的咖啡厅第一次见到徐小平老师，向他咨询我的人生方向。那时我读研究生二年级，单身或者说感情失败，试图就能做什么和什么样的人才适合我的问题向外部寻找答案。

徐老师说："王潇，你现在需要做的是：第一，把你引以为傲的天赋和雕虫小技清零，重新塑造你自己；第二，你这样的个性，怎么能还在中国呢？你早应该走了。去美国，你会获得新的生活，比如男性对女性的方式，比如对个性的认同方式。"

他的意思很明确，一是拿掉自负、重新积累，二是找到更适合我天性的土壤。

他没有聊嫁不嫁富豪、创不创业，只说了心态和天性。这两个建议我都非常受用，也启发了我后来的创业。创业即拿掉自负、重新积累，是为自己的天性寻找到一片土壤。

当时我们聊到了女性的尊严与自由问题，徐老师火眼金睛，看到了我的人生根本诉求，因此直接建议我去美国。在这个基础上，他也不可能建议我嫁富豪，因为这很可能和尊严与自由相悖。只能说，在 2006 年的中国，能实现女性尊严与自由的通路很少，创业也许是一条九死一生之路，徐老师当时也没有提及创业。

再见到徐老师是 2013 年。7 年之后，他对我说："你是一个很棒的实践女性自由意志的样本！也是前些年我做人生咨询没有说错的人之一。"

徐老师没有说错，我也没有走错，因为人生道路从来都不止一条，没有唯一正确的路，但有那个最适合自己和成为自己的方向。方向对了，条条大路。

# 100
# 一个人的英雄之旅

**昂：**潇洒姐，许多人可能都有过英雄梦，打个比方，就好像渴望有朝一日号令武林、庇荫亲友的那种。我把这种情结，理解为对周围人的责任感和个人价值的追求。可是在漫长的成长过程中，我们并没有都成为英雄。26 岁，在有了一点自我了解和评断之后，我又必须准备进入人生的另一个阶段。最近身边的一些事、一些人让我感慨，越早面对平凡越早成熟。潇洒姐在书中曾讲过决定深造时的经历，我很认同 3 年改变 30 年的勇气，可是更好还是更坏？如果没有正确认知自己能力依然做着英雄梦，是坚持还是偏执？

**潇洒姐：**看到“英雄梦”三个字，我觉得我找到了 100 期问答中那个有力量而隽永的问题。

我 23 岁时在人生计划里写下的恢宏目标，在后面几年打开浏览时常常故意将目光快速掠过，因为只要看到就是一次嘲讽。伴随之后的当然还有煎熬和怀疑。最低谷时我打开了人生计划，一行一行地删掉了那些雄心壮志，算是接受了自己的平凡，我很清楚删掉的过程就像是和命运妥协的过程，让人难过。

但后来，我又重新把雄心壮志写了上去，一直保留到现在。我就是那个有英雄梦的人，读到热血的故事会沸腾，年过 35 岁听到武侠歌曲仍然充满画面感；希望燃起又低迷又燃起，经历了很多个这样的回合之后，我遇到了一本书。

这本书，为我的来路和去路解释了一切。在那之前，我所经历的混沌、迷惘、被动出发、困境、选择、背叛、信任、自我怀疑、放弃、启迪和指引全都被贯穿起来，让我有能力俯瞰我的整个人生道路。我的坦然和释怀简直就是从这本书开始的，这本书就是关于英雄梦的，它的名字叫《作家之旅》。

这本书号称是西方编剧界的圣经，从人性和希腊神话故事原型出发，讲述如何写出好看的故事。其实这书并不单单讲写作智慧，讲的根本就是人生哲学。其大概内容是这样的：

世界上的好故事很多。故事有长有短，有男有女，什么内容都有，主人公的命运和好故事的线索有没有共同性？有的。

那么多好看的小说和电影，抽象来说，都是讲述一个人的历险故事。一个人出发了，来到一个新的世界，遇到了一些新人，发生了一些新事，对这个人有启发、有触动。他一个一个地完成任务，最后他要面对一个终极任务，得到一个结果，这个结果让他圆满或虚空，见到了自己。

详细来说，就是这本书讲的十二个步骤。

1. 正常世界。

2. 使命召唤。

3. 抗拒召唤。

4. 见导师。

5. 跨越第一道门。

6. 考验。

7. 走进洞穴。

8. 磨难。

9. 死亡。

10. 庆祝。

11. 复活。

12. 回归。

书的要义是告诉人们如何使用编剧、导演，甚至命运之手的视角来审视和撰写人生旅程。但我看的时候最大的震动是，每个人都在各自的“人生之旅”中前行，我以为我经历的那些是多么跌宕和独特，但其实是从希腊神话时期就开始提炼的永恒模式。或者说，只有好看的故事和电影，才具备永恒的模式。

如果对照这个步骤，我们面临的求学、择业、转换行业、巨大挫折，对应的便都是英雄上路后的使命召唤、考验和磨难。对于我自己来说，通过比对我的人生剧本和英雄之路标准剧本，我一个一个地认出了那些人和那些事的剧本意义，并且确认我现在处在 6、7、8 这三个步骤中，最大的考验还没有来，但我知道，我已经在一个饱满丰富、激动人心的人生大电影里了。

真的，我觉得我是从那一刻起开始变坦荡的，当从大电影的视角来看自己的一生，我第一次觉得煎熬、等待和沮丧时刻全都有了特定意义，它们在电影里那么重要，我也第一次释怀了一路上的嘲讽者、质疑者、背叛者和宿敌，这让旅程中的主人公——我，更像是一个英雄。

我非常确定的是，怀疑和恐惧也是英雄之旅的一部分，我正在经历英雄之旅上所有的步骤，无论我在功利社会是否被认为平凡，我都一直在剧情上前进，接受试炼，与命运选派的一切交锋。

克里斯托弗·沃格勒（Christopher Vogler）的《作家之旅》给了我一个终身受用的巨大启迪。我把这启迪写进这一期问答，也希望能给到你。我希望我们都有能力跳出当下，俯瞰故事中的人与事；我还希望我们有能力解释那些我们（故事中的英雄）生命中出现过的各个时期的迷惘、质疑、觉醒的原因，也解释了每一张面孔的意义，无论他们是导师、伴侣，还是敌人。

我希望你和我一样，合上书以后，会像经典故事中的英雄一样，坦然接受自己的使命和命运，踏上漫漫征程。

# 附录 1
# 做 客 天 涯 访 谈

（编者注：2013 年 7 月 19 日，王潇做客天涯访谈）

**主持人：**大家好，欢迎收看天涯访谈，今天来做客的嘉宾，提到她你可能会想到很多头衔——美女 CEO、都市丽人榜样、前央视播音员，那就是《女人明白要趁早》这本书的作者王潇。王潇，欢迎您。

**王潇：**大家好，我是王潇，今天非常荣幸能来到这跟大家分享，做这样一个问答游戏，既然是游戏，就放松一些。

**主持人：**目前为止您已经出了两本书，《女人明白要趁早》系列，您觉得女人最应该明白的是什么？

**王潇：**我个人也没那么明白，叫这个名字是期待能越来越明白，所以我觉得我是在明白的路上。就自己而言，看我的前半生，我觉得明白的是世界很大，人生匆匆很短，有很多东西要去体验。

**主持人：**您当初写这些书的寓意是什么呢？

**王潇：**当初写的时候没有想太多，因为之前也没有写过，很多人写作会有一个夙愿或者愿望，我当时是没有的。我之前写了一个网络红帖，叫作《写在三十岁到来这一天》。这个帖子很红，天涯上也有很多的转载，因为写了很多经验教训。我把这些当成故事写出来，所以文法风格很白话，写得很直白。所以，我写书的动机更单纯。

**主持人：**那当初写的时候想告诉年轻人什么呢？

**王潇：**我曾经在哪儿跌倒，有过什么教训，爬起来了或者为什么没爬起来，做一个梳理，主观上完全是从我个人出发的梳理。但是因为在这个年代，跟成长的孩子们的心理意识很像，所以大家能找到共鸣。

**主持人：**书中多次提到了沉没成本，可能生活中都会涉及沉没成本，大概是什么概念呢？

**王潇：**这个概念很简单，比如谈恋爱，之前投入的感情、时间都是成本，你付出了，就再也收不回来，而且当你持续投入的时候，可能损失更大。经济学里面有止损的概念，止损的前提就是接受前面的损失，终止已有的损失，所以要有决断力，才能够真正地接受沉没成本，以此为出发点去总结，就像是学习，慢慢地你就学会接受沉没成本了。

**主持人：**您认为怎样的三观才是健全的呢？

**王潇：**三观没有对错之分，三观系统其实是一个哲学话题，很难简单地概括，如果要说的话只能大概描述一个框架，没法一概而论。

哲学无所谓对错，但是有剧院效应这样一个概念，当你接受和认知这种系统之后，你的想法、你做事都能够在这个系统里自圆其说，找到它的映射，这都是三观映射的结果。无论是什么样的三观都无对错之分，所以你有你的系统，我有我的系统，我们聊天、做事、说话的时候，承认尊重，彼此共存，而不是用来争斗、攀比的。如果想理解这个层面，那就明白要趁早。与此同时相对个体人员，系统越完善纠结就越少，我今天吃什么东西、吃多吃少、穿什么衣服、做什么样的决定，后面是有依据的，这种依据不会让我分裂，不会自我颠覆。不是不会出现问题，因为走在明白的路上的话永远会出现问题，但是问题会越来越少，出现琐碎的、摇摆的情况也会慢慢变少，人会活得比较清爽通透。

**主持人：**那您眼中的世界是怎样的呢？

**王潇：**我眼中的世界要比喻的话，对我来说像两样东西：一个是赌场，一个是游乐园。我从来没有参与过赌博，因为我觉得生活本身就已经是一场赌博了。我每天早上睁开眼睛，选择去哪儿、选什么路线，都是未知的，而且我觉得赌注很大，它是我的整个生命，生命只有一次。

**主持人：**您觉得人生就是一场赌博？

**王潇：**是大大小小的赌博的叠加。像赌博也像游戏，我玩过两个游戏：一个叫作美少女梦工厂，一个叫作大富翁。后来我意识到我像大富翁里的孙小美，每天前进几格，总会碰到林林总总的问题。其实从世俗角度上看，人们不停地想获得金钱，换车、买房子，这根本就是大富翁游戏本身。

**主持人：**人的各种欲望？

**王潇：**对，属于世俗的欲望。如果要问我的世界是怎样的，我的世界就是这两样。

**主持人：**可能说到三观，当下很多事情都对我们的三观有一些冲击。您怎么看纪英男事件？

**王潇：**首先，人是无法被标签界定的，标签还是不太准确。我不了解事情的真相，所以我现在说什么只能代表我个人的观念。首先我觉得这个姑娘她选择了这种生活方式，她会为此付出代价，我不是说这种方式好或坏，只是觉得旁人的围观解决不了问题。你在那纷纷扰扰，能代表什么？你要是觉得她不好就做自己，你要是觉得她好就效仿，都可以。就是说，她选择的她必须承担，如果她没触犯法律，都可以容忍共存。“她”是一种现象。

**主持人：**您会赞同这种做法吗？

**王潇：**我是觉得世间的活法特别多，这一定是其中一种，就算我们现在指摘她，但有很多女性都这么活着。你要是觉得她这样很悲惨，那也未必。如果她知道自己为什么做这样的选择，她能够承担自己选择的代价的话，那在过程中她必定会感到欣喜满足。你又不是她，你没法做预测，你不知道这是一种活法。当然，我们完全可以站起来打压她，但是我刚才说过，这是一种现象，现在的女性，她们选择走捷径多半是因为自己人生的保障体系出问题了。

女性要有三个保障体系：第一是社会保障体系，第二是家庭保障体系，第三是自我保障体系。社会保障体系不健全，大家没法从这方面得到保障。家庭保障体系好理解，有好老爸或好老公。碰上好老爸靠运气，碰上好老公也凭运气。在这两个条件不具备的情况下就找个“干爹”，这会让一些女性的保障体系凸显，给她们安全感。人是要排解孤独的，这是她们内心的折射，最后为大家所不齿，那只是形式，但是那些女性有这个需求。

她为什么会选择这条路？因为女性在成长的过程当中，自我保障体系要建立起来。什么叫作自我保障体系？就是我不靠山不靠人，靠山山倒靠人人跑，靠自己我才能活得不错。那么，是不是每一个女性都有能力建立自我保障系统呢？不是每个女性都有能力建立的，因此她就会找一个捷径，这是一个大社会问题的折射，所以不能就个体来说。

**主持人：**那女人怎样做到内心强大呢？

**王潇：**很多人说我要内心强大，这是没有用的。做到内心强大是有条件的，遇到问题能解决问题，有办法对付它，你要有积累。你会什么？现在是一个交换的世界，你想获得经济收入那你就得付出你的所知所能，你有没有这个能力？所以你想要强大，最重要的是先把体系建设好了。我现在可能比较弱小，但是我坚信在我的未来，我会渐渐强大起来，因为我知道那个方向，有一天我总会到达。怕就怕天天空喊口号，然后混沌了，方向也不确定，途径也找不着，遇到问题没法解决，那怎么办？

**主持人：**对于您来说成功的代名词或者成功的意义是什么？

**王潇：**可能是自由，包括不见不想见的人、不去不想去的地方、不做不想做的事。

**主持人：**更加细小、更加具体的呢？

**王潇：**我能够决定自己的生活，掌控得多一点。人一辈子追求的是自由，大多数人是这样的，先是内心的，然后是形式上的，自由一定会折射在形式上。对我来说，自由会体现在很多方面。

**主持人：**您觉得长得漂亮对成功是不是有帮助呢？

**王潇：**一定有帮助，但漂亮是把双刃剑。当你长得漂亮的时候，别人对你的耐心更多一点，本来他只能听你说一分钟的话，由于被你的皮囊吸引就给你三分钟，在这三分钟里你把你想说的表达清楚了，让他知道你是谁，不过前提是一定要有料。所以漂亮用好了是一个有力工具。但是，你长得够好看或者特好看，对方会忽略掉你的内在、你的能力，你就很难再往前走了。

**主持人：**能换一种方式吗？

**王潇：**很难办，你要用漫长的时间来证明你是有能力的，你的能力和皮囊可以联合。还有就是相由心生，你的饮食、起居、思想一定会放在这上面，在这个逻辑上，如果你长期过一种通透的生活的话，你会一脸正气，或者英气。

**主持人：**就像是正能量？

**王潇：**就是大家说的气场。别人看见你以后，觉得你有自己的金钟罩，觉得你里面有说不出来的东西。但是，前提是你要持续地做你自己，三观要特别的清楚。起范儿要正，起范儿要是不正的话，你要是能吸引到接近你的人就是另外一码事了。这是要天长日久才能慢慢渗透的。

**主持人**：您是如何坚持自己的梦想的呢？

**王潇**：梦想这个话题太大了，其实我有很多的幻想、奢望和愿望。梦想这个词我很少使用，因为我觉得它有点被妖魔化。我的愿望很多的，可能也是很小的，它们都在阶段性被我实现的时候，比如三五年，我会觉得自己实现了一件很大的事，但其实是很小的愿望。我还有很多幻想，从青少年时期开始就有很多，女孩子都会有的，比如说想成为谁，或者过什么样的生活。幻想的过程中有的幻想也会被实现。要真正说我的梦想，我没有特别具体的梦想。我觉得梦想就是用来在远方召唤你实现愿望的，而且到死的时候你才有资格说自己的梦想是不是实现了。我一直在追求无限接近它。

**主持人**：您给自己定了一个很遥远的梦想，一直朝着这个方向努力还是阶段性的？

**王潇**：一直朝着这个方向努力。

**主持人**：朝着这个方向努力的过程中会有什么挫折吗？人生会有低谷期吗？

**王潇**：我有相对的低谷期。我真的没有感觉到巨大的低谷，以至于说崩溃、痛哭流涕、倒下站不起来，到不了那份儿上，因为我觉得我还活着呀。比如我自己创业事多，事成与不成，钱来钱去，这都是一个常态，事物的发展就是波浪形的。

**主持人**：那处于低谷的时候您怎么应对呢？

**王潇：**我有一个办法，挺简单，我觉得对我挺好用的。当我处于人生、心情、事业相对低谷的时候，我会拿出一张白纸，然后在上面画一条波浪线。然后，我评估自己现在处于哪个阶段，我现在不开心、很没劲、很烦、很惨，我逊到什么份儿上，以此来评估。前半生我比这还惨，那这个评估就比那个强一点；或者我从来没这么惨过，那我就是处于谷底了。

比如我最近失恋，事业惨败，还变丑了，家里还有什么事，可能我是叠加惨败，那就首先接受这种状态，评估这个。惨得不能再惨了怎么办？拿起一支笔，在波浪线的谷底标注你的位置——画一个点，标注完以后，看这条波浪线，它能告诉你什么问题呢？首先，事物发展的规律是波浪形的，接受承认；第二，我很惨在谷底，接受承认；第三，我现在在谷底，那么意味着有一天一定会上去的。这不是你对自己的希望，而是就是这样的。

我觉得这个方法对我来说很管用，之前我用过，现在不用了，它就在我脑子里，当我接受这个规律，我正视自己的位置时候，什么都很好办。

**主持人：**那如果这个点不是在谷底呢，岂不是还要到谷底？

**王潇：**我有过一段时间心情很差，因为感情失败，现在看来是那个时期阶段性失败。然后刚创业不挣钱，不知道什么时候能赚钱，也常常自我怀疑，不知道我选择创业对不对，我适不适合创业，总是产生是不是值得别人爱我的质疑。

**主持人：**会质疑自己吗？

**王潇：**自我怀疑终究会出现的。那个时候，我问我的一个长辈，也不算是长辈，他比我大十五六岁，在我看来是非常成功的成功人士。我给他打电话，我说你看我这个情况怎么办？你知道他说了什么吗？他说熬。因为他的状况就是两起两落这种。他的经历超越了咱们的想象，如果是我到那个份儿上，简直不知道要怎么过。他说熬，一天天过着，但是你要相信自己会过得更好，因为你在曲线里，一熬就到那一天了。

**主持人：**我们知道您认识全球著名的投资大师巴菲特，您跟他有什么邂逅？

**王潇：**很简单，我们做了一个很大的活动，一个中国行的盛典，巴菲特是我们客户的股东，他出席了这个盛典。我接待了他，我帮他处理了很多事，我们进行了沟通，这种沟通很简单。

**主持人：**您觉得他是什么样的人呢？

**王潇：**通常人们都说他是神，我觉得首先他是平凡人，但是他有超越我们所能的驾驭财富的能力。不过我觉得他对世界的影响还是比不上神，因为他只是在金钱上改变了一部分世界，我觉得在技术和文明上真正改变人类的才更接近神。但是，他是一个超级榜样，我看过很多他的语录，非常帅气，给我们的指导思想非常的理性。这个很重要，尤其是对商人来说，这种理性对成功的干预更大，能让人更确定客观规律，更能保证清醒的认识。这是我对他的一点认识。

**主持人：**好，这是您对他的印象。很多网友看到您的照片，觉得您的身材特别好，是怎么保持的？有没有什么减肥方面的心得？

**王潇：**我觉得我好多问题回答起来就两个理念：一个叫心法，一个叫技术面。没有心法，技术面不能长久、不可持续，心法的建立比较难。我在我的第一本书《女人明白要趁早》里面有一篇文章《意志的胜利》，有几句话被广泛地引用，一句是“腰围是少女和大妈的分水岭，要拼死保持”，还有一句是“如果你不能控制自己的手拿起勺子往自己嘴里放多少饭的话，那你什么事也做不成”。我觉得心法是人的自我控制，不只是减肥本身。还有一句话，“当你对美好身材的渴望远远大于你对食物的渴望的时候，你就可以成功了”。吃饭也是一种欲望，吃多吃少也是有欲望的，你想要自己美、瘦也是欲望，那就看哪个赢了。当然，最最重要的还是要有自我控制的能力，自我控制能力强的人，减肥的效果容易在外表上体现出来。人是可以自我感染的，一处通关，处处通关。

**主持人：**在技术层面上有没有什么健康的、比较合理的减肥方法？

**王潇：**反正我觉得“减肥”俩字太浅薄不足以形容咱们的状态，我们不说减肥，而说好看。我把这个好看叫作塑身，塑身就是雕塑你的身体，或者塑造你的身体，不是单纯的瘦，单纯的瘦没有意义。看体重的数字只是一个参考，你脱光了看镜子，如果你裸体都美，那你穿什么都好看，就这么简单。

**主持人：**您生过孩子还保持得这么好，怎样恢复到这种状态？

**王潇：**我生孩子之前就有相对健康的代谢，因为有长期规律的生活方式。生活方式很重要。我就算吃很多，也不长肉，这就是正代谢。我 17 岁的时候 110 多斤，是从这个数字减下来的，我身高 163 厘米，肉还是有的，是我爸爸让我减肥的。那时每天我吃饭吃两碗，吃到第三碗的时候我爸把碗放一边说你别吃了，看你胖成什么样了，我当时就哭了。

**主持人**：当时正是长身体的阶段啊？

**王潇**：我觉得很委屈，那是我亲爸不让我吃，我说胖有错吗？爸爸说胖就是错，没有节制地吃胖就是错，你有一个胖胖的身体，你走出去，等于在告诉别人你对生活没有节制，对自己没有控制，连拿几碗饭放在自己嘴里都控制不了，可怕。你的样子会告诉别人你的生活方式。所以从这个层面来说，你就是你看上去的样子。人都会以貌取人，我们再有内涵但首先被看到的还是外表。别人都以貌取人，那么你要不要混，是否希望自己做得好，无论是别人眼里的你还是自己照镜子，都希望好看一点吧，就这么一辈子，往那一站一大摊有意思吗？

**主持人**：有的人会说，我是什么样子就是什么样子的，我不是为别人活的，我是为自己活的，这个观点您怎么看呢？

**王潇**：那你当然可以去选择一摊的人生，我不认可这种活法发生在自己身上，但是我不指摘别人。因为你会为你自己的选择付出代价，我也付出了我的代价，大家都有代价。

**主持人**：您经常健身吗？

**王潇**：运动会有一个节奏，但是经常我做不到。

**主持人**：那您怎样控制自己？

**王潇**：我吃到不饿就停止，几乎不会吃到饱胀。吃饭是因为饥饿，我是因为饥饿才进食，而不是因为好吃才进食的，也不是因为到点进食。人类常因为好吃而吃撑。所以你要克服人性贪婪的本性，你就找到了方向。

**主持人：**还是要自我控制？

**王潇：**对。、

**主持人：**生完孩子之后会有什么改变呢？作为一个辣妈会有什么感受？

**王潇：**会有一些改变，但是没有我之前想的大，因为我生育比较晚，我的生活已经很结实了，女儿的到来没有打破我的生活。我在书里面写了我选择生育的依据，如果适龄、育龄女生可以看看我整个思考的过程。我为什么选择生孩子？结婚和生孩子，还有创业一样，都是一种选择，而不是必须经过的一种人生。另外，女儿会让我在很多方面有一些新的想法，这就是影响。

**主持人：**我们时尚版面有很多关于励志的帖子，说 30 岁以后女人的相貌是靠自己修来的。您觉得 30 岁之后自己的皮肤需要保养吗？

**王潇：**相由心生嘛，你吃的东西、看的书，对你的样子有很大影响。你的样子是什么呢？是你爸妈给你的基因，是你吃过的每一口饭、喝过的每一口酒、流过的每一滴眼泪、走过的每一步路的叠加。

**主持人：**但是有人会觉得只要是保养都会有效果，您怎么看？

**王潇：**只要保养就一定有效果。你对待皮肤不一样，它呈现的就不一样，你持续地好好对待它，它就持续地改变，我挺相信这种改变的。但我在这方面做得也不是特别成功。

**主持人：**您觉得爱情对您来说意味着什么呢?

**王潇：**首先我们要看爱情怎么定义。如果你说的是小说、电影、电视剧里面那种爱情的话，就是风花雪月、荡气回肠、撕心裂肺的童话般的爱情，那你一定会剥落的，因为这不是人生的常态。爱情刺激肾上腺素持续地分泌，这不科学，应该要阶段性地分泌。第一，在心理上你会剥落，慢慢觉得什么东西长了也不过如此，得到了也未必如此。第二，就是我们所定义的爱情，时间长了一定会转变成亲情。好多人生伴侣就是这样，当他们在一起的时候，爱情会转变成亲情的。

**主持人：**时间长了还是会失去兴趣。

**王潇：**互相失去兴趣是早晚的事。

**主持人：**如果说爱情最终会走向亲情的话，有没有想过这个期限？会不会减缓这个过程，有没有做过一些爱情保鲜?

**王潇：**我觉得爱情保鲜及经营都是扯，因为人和人的交往最后一定是通过大量的沟通来达到真实的和谐。人要对自我有持续期待，而恰好你也喜欢这样的我，这样才比较长久。买大量的花你觉得就有效吗？个别浪漫行为不解决本质问题，在我这肯定是没用的。

爱情就是一团空气，根基非常不稳，你对它的感受是无法把握的。你把你的喜乐全放在爱情上？那就太不靠谱了。有次，一个杂志编辑采访我，她问我爱情与事业的权衡问题，怎么保证爱情和事业的双赢。当时我的回答让那个编辑很不开心。我说，你要是决意做事业的话，还在想着对爱情的投入份额，那样一上来你就输了。爱情不是家庭。爱情与家庭，这是俩概念。

**主持人**：您会让自己的家庭更好吗？

**王潇**：对，比如我想实现自己的目标，那我当然希望我的家庭上一个台阶。事业是我们为家庭源源不断提供滋养的工具，家庭是我们的心灵花园，但是如果你要把爱情作为心灵花园的话，这种投入产出比是非常不稳定的、没办法统一的。只有两件事，我觉得投入就有产出，一件是好好学习，一件是锻炼身体。其他比如事业、爱情都不能，它们由很多因素决定。所以你要把你的砝码、鸡蛋都放在爱情的篮子里的话，那就等着破碎吧。

**主持人**：爱情是易碎的、不稳定的，那您的态度呢？

**王潇**：来自亲人的爱更纯粹，世俗成功是让亲人生活更幸福的辅助工具。当然了，人的一辈子还是活给自己的。我觉得这虽然说得很自私，但总归你正视这一点了，你期待自己的体验。人这一辈子是孤独的，就是自己跟自己活，然后你的亲人最大程度地陪伴你的孤独和分解你的孤独。

**主持人**：现在我们的生活压力很大，很多人都很担心那种不良的习惯。有没有什么好的习惯，您跟我们分享一下？

**王潇**：养成好习惯的前提是对自己有期待。先告诉自己别放弃，接下来努力去实现。我的公司有一个产品叫作效绩手册，这就是我的工具。我从 13 岁开使用到现在已经用了 21 年。我把自己要做的事情、长短期的愿望写在这个手册上，白纸黑字列出来，做完打勾。很多人用手机什么的，对我来说最好还是纸，因为我喜欢钢笔写在纸上的质感。这个方法对我非常管用。我没办法得拖延症，我一拖延公司就死了，创业的事一拖延，什么都别干了。这跟自己选择的生活方式有关系。你的生活方式不允许你拖延，你就不会拖延了。

**主持人：**还是有计划、有目标。

**王潇：**对，有计划、有目标。我有人生大目标，还有分解的小目标。这些都是有章可循的，我会整理成文档放在我的电脑里，都有卷宗，这就是复盘、就是沉淀。我以此为乐，特别喜欢做这件事。我一旦把这件事做了，就不会在同一个地方再摔倒了，我的“学费”不是白交的。不想把一段时间的经历扔掉怎么办？复盘、总结，很多做企业的人都是这样做的。

**主持人：**您去过哪些地方旅行？

**王潇：**20多个国家吧。我曾经说过一句话，要么旅行，要么读书。人生就是在读书的路上，这也是我对旅行的态度，是活法的一种。不想停，别停，如果你肉体停了，灵魂要前进；如果灵魂没想明白，哪怕肉体前进也好。很多人旅行，是为了给自己的灵魂一个催化剂。

**主持人：**旅行对您来说意义是什么呢？

**王潇：**我曾经很期望“在别处”，好东西、好的人、好的想法都在别处，因为此地的东西我司空见惯了。对我来说，旅行最大的作用就是能够帮助我换个视角来观察，但是没有办法真正改变我的思维方式和做事的方法，因为这两者在我的三观里，除非我的三观能被颠覆。大多数情况下人的三观很难被颠覆，被颠覆的情况有，可能不多，最大的创伤、最大的挑战有时可以颠覆一个人的三观。

旅行只能让我换个视角，是什么意思呢？“美丽的姑娘总在那遥远的地方”“从小我们就把那个遥远的地方深深地想往，但我长大以后我才明白，我们这里对遥远地方的人来说就是遥远的地方，我们这里就有最美最美的姑娘”，旅行，你只能抽离自己，在三千公里之外，看到那么多人那么多活法，认识到原来可以这样活。你会缩小你的苦恼，因为你的视野开阔了。你可以反观自己，也可以像电影中的场景一样，到一个蛮荒之地、苦寒之地再看自己，你会发现，原来你这么活那么活都可以，原来你所遇到的事都不是事。在旅行中我会把看到的一切放到脑子里，它们可能会让我产生新的思想和方法，但是我依然会带着新的思想和方法回来，回到我自己的生活中，我没有办法离开我的生活，我已经离不开了。

**主持人：**没有办法脱离生活。

**王潇：**你脱离不了自己的生活，因为你基因里、骨子里，你每天耳濡目染的这些东西，永远磨灭不了你前半生的印记、你见过的人、吃过的东西。旅行是为了接受你在此地的命运，除非你全部放弃，真的走了，有人做到了，我现在就做不到，我觉得绝大多数人都做不到。既然做不到的话，可能你只能到达你现在的格局。

**主持人：**接下来有没有什么计划？还想继续写书吗？

**王潇：**写书不是我的愿望，不是我选择的工作，有想法、有灵感就会写。我下面会出一本书，叫作《女人明白要趁早之和潇洒姐塑身100天》，我生完孩子后在微博上发起了一个#和潇洒姐塑身100天#的活动,有很多人参与。当时想的是既然我要做这件事，不如大家一起做，那我的成功也可以影响大家。最重要的是，这件事情挺好的，很多人一起锻炼，互相鼓励。我收到了很多邮件，他们都很支持我。

**主持人**：效果怎么样？

**王潇**：很有效果。所以我将这个过程中所做的努力整理成书，它不是严格意义上的书，是一个心法。

**主持人**：您的观点就是心法合一的观念？

**王潇**：一定要特别合。

**主持人**：特别欣赏您说过一句话：为得到的被珍惜，为失去的被磨炼，为女性的梦想勇敢担当，为从无到有。这是特别励志的一句话，请您对天涯网友也说一些励志的话。

**王潇**：我觉得我的话都写在书里了，大家不是叫我"语录女王"吗？我倒是觉得我写的那些听上去掷地有声的话，都是我用学费换来的，没有一句是空穴来风。因为我的书会解决问题，在哪儿交过学费，我都写了下来。我在这说不出比书里更精彩的话了，除非我这两天又有新的学费要交了。我还是想说世界很大，活法儿很多，青春和寿命很短，还是淋漓尽致地好好活一遭吧。

# 附录2

# 做客新浪微访谈摘录

（编者注：2014年3月7日，王潇做客新浪微访谈）

**五十米深蓝：**职场妈妈如何平衡孩子和工作？做计划是肯定的，但总有突发的情况。我现在因工作没能照顾好孩子很内疚，同样因孩子没能完成工作也很内疚。如何平衡心中这杆天平，如何让自己做得更好？

**王潇：**现在我的孩子只有14个月，心得不够多，但我想过：如果我妈告诉我她为了我的成长放弃了很多，我不会开心。我希望看到的是妈妈如何实现了她自己的愿望，希望看到她在社会上的光彩而不是抚育我的倦怠。我希望未来让我的孩子觉得：我的妈妈成了她自己，我也能！

**依然腊：**潇洒姐您好！我是武大一名工科女研究生，下半年找工作，感觉压力很大，晚上很迟才能睡着。如何排解这些干扰呀？

**王潇：**我在最开始找工作的时候以及实习期也感觉压力大，觉得世界太大不得其门，晚上也容易失眠。那些迷惘是真实存在的，排除不如真实面对。那时我就认准一个实习中发现的专业短板，每天攻克。然后心理暗示自己说，我今天为了进步做了能做到的最好，失眠随后自愈。

**Anael_7：**潇洒姐，工作中处理的事情繁杂琐碎，让人觉得时间花得缺少价值，但是这样的状态却是大多数人要面对的，对此您有什么建议？如果您面对繁杂琐碎的事情，您会怎样处理来让自己的时间升值？

**王潇：**越是繁杂琐碎的事，越应该利用时间管理技巧快快地完成，然后挤压出可以自行安排的时间。当下的任务、工作、家务事保障了现在的你，自行安排出的学习、锻炼和思考问题的时间，才能决定未来的你。特别注意在业余时间，让我们拥抱生活和成为与众不同的人。

**OJimme：**年后开始关注潇洒姐，入手《女人明白要趁早》经典书，竟是近年来能完整读完的一本书。不做作、接地气。问两个问题：潇洒姐的终极目标？叶先生也是"趁早党"吗，生活中你们是如何共同进步的？

**王潇：**第一，终极目标是过完饱满淋漓的一生，在家庭、健康、财务、旅行方面都有量化的标准，具体写在我"一生的计划"里。第二，叶先生支持我的思路和事业，并和我一起探讨计划，坚持锻炼，坚持每天专注。如果"趁早党"标志着认识自己、坚持提升自己的话，那么他就是趁早党。

**小影子健身记录：**您的书我都看了，很喜欢，但是妈妈总说要靠男人为主，要让老公更有担当，女人太强会很辛苦。请问怎么说服她？

**王潇：**每个人都有自己的思维方式，如果自己内心方向明确，默默明晰照做即可，不必费心费力说服周围的人。无论男女，都应该充分发挥自己作为人的能力，增加实现可能性。能做到 8 分，因为贪图舒服只做到 6 分，当下不累，但未来会追悔。说女人太强辛苦不准确，其实女人不强更辛苦。

**蔡翠 90：**同生肖的潇洒姐您好，只能对自己要求高吗？对别人（肯定是和自己关系还不错的，关系不好的谁搭理）要求高容易变成苛求，不是每个人都愿意接受别人的意见和想法，希望自己关心的人能变得更好更优秀是不容易的事，所以只能管自己吗？

**王潇：**能管好自己已经很难了。口头指摘别人很多时候是内心优越感在作祟，大家难免觉得指指点点好讨厌。如果真心觉得自己是个好标准，那不如身先士卒言传身教地去影响别人更管用。其实，多数人都知道自己的缺点在哪儿，要么不打算改，要么不容易改。